MEMÓRIAS DA EMÍLIA

Ciranda Cultural

Dados Internacionais de Catalogação na Publicação (CIP) de acordo com ISBD

L796m   Lobato, Monteiro, 1882-1948

          Memórias da Emília / Monteiro Lobato ; ilustrado por Fendy Silva. -
Jandira, SP : Ciranda Cultural, 2019.
          96 p. : il. ; 16cm x 23cm. – (A turma do sítio do Picapau Amarelo)

          Inclui índice.
          ISBN: 978-85-380-9042-7

          1. Literatura infantil. I. Silva, Fendy. II. Título. III. Série.

                                                              CDD 028.5
2018-1839   CDU 82-93

Elaborado por Vagner Rodolfo da Silva - CRB-8/9410

Índice para catálogo sistemático:
1.   Literatura infantil 028.5
2.   Literatura infantil 82-93

© 2019 Ciranda Cultural Editora e Distribuidora Ltda.
Produção: Ciranda Cultural
Texto: Monteiro Lobato
Ilustrações: Fendy Silva

1ª Edição
www.cirandacultural.com.br

SUMÁRIO

EMÍLIA

VISCONDE DE SABUGOSA

ANJINHO

PEDRINHO

NARIZINHO

DONA BENTA

TIA NASTÁCIA

POPEYE

PETER PAN

EMÍLIA RESOLVE ESCREVER SUAS MEMÓRIAS. AS DIFICULDADES DO COMEÇO

Tanto Emília falava em "minhas memórias" que uma vez Dona Benta perguntou:

– Mas, afinal de contas, bobinha, que é que você entende por memórias?

– Memórias são a história da vida da gente, com tudo o que acontece desde o dia do nascimento até o dia da morte.

– Nesse caso – caçoou Dona Benta –, uma pessoa só pode escrever memórias depois que morre...

– Espere – disse Emília. – O escrevedor de memórias vai escrevendo, até sentir que o dia da morte vem vindo. Então para; deixa o finalzinho sem acabar. Morre sossegado.

– E as suas Memórias vão ser assim?

– Não, porque não pretendo morrer. Finjo que morro, só. As últimas palavras têm de ser estas: "E então morri...", com reticências. Mas é peta. Escrevo isso, pisco o olho e sumo atrás do armário para que Narizinho fique mesmo pensando que morri. Será a única mentira das minhas Memórias. Tudo mais verdade pura, da dura – ali na batata, como diz Pedrinho.

Dona Benta sorriu.

– Verdade pura! Nada mais difícil do que a verdade, Emília.

– Bem sei – disse a boneca. – Bem sei que tudo na vida não passa de mentiras, e sei também que é nas memórias que os homens mentem mais. Quem escreve memórias arruma as coisas de jeito que o leitor fique fazendo uma alta ideia do escrevedor. Mas para isso ele não pode dizer a verdade, porque senão o leitor fica vendo que era um homem igual aos outros. Logo, tem de mentir com muita manha, para dar ideia de que está falando a verdade pura.

Dona Benta espantou-se de que uma simples bonequinha de pano andasse com ideias tão filosóficas.

– Acho graça nisso de você falar em verdade e mentira como se realmente soubesse o que é uma coisa e outra. Até Jesus Cristo não teve ânimo de dizer o que era a verdade. Quando Pôncio Pilatos lhe perguntou: "Que é a verdade?" – ele, que era Cristo, achou melhor calar-se. Não deu resposta.

– Pois eu sei! – gritou Emília. – Verdade é uma espécie de mentira bem pregada, das que ninguém desconfia. Só isso.

Dona Benta calou-se, a refletir naquela definição, e Emília, no maior assanhamento, correu em busca do Visconde de Sabugosa. Como não gostasse de escrever com a sua mãozinha, queria escrever com a mão do Visconde.

– Visconde – disse ela –, venha ser meu secretário. Veja papel, pena e tinta. Vou começar as minhas Memórias.

O sabuguinho científico sorriu.

– Memórias! Pois então uma criatura que viveu tão pouco já tem coisas para contar num livro de memórias? Isso é para gente velha, já perto do fim da vida.

– Faça o que eu mando e não discuta. Veja papel, pena e tinta.

O Visconde trouxe papel, pena e tinta. Sentou-se. Emília preparou--se para ditar. Tossiu. Cuspiu e engasgou. Não sabia como começar – e para ganhar tempo veio com exigências.

– Esse papel não serve, senhor Visconde. Quero papel cor do céu com todas as suas estrelinhas. Também a tinta não serve. Quero tinta cor do mar com todos os seus peixinhos. E quero pena de pato, com todos os seus patinhos.

O Visconde ergueu os olhos para o teto, resignado. Depois falou; fez-lhe ver que tais exigências eram absurdas; que ali no sítio de Dona Benta não havia patos, nem o tal papel, nem a tal tinta.

– Então não escrevo! – disse Emília.

– Sua alma, sua palma – murmurou o Visconde. – Se não escrever, melhor para mim. É boa!...

Emília, afinal, concordou em escrever as Memórias naquele papel da casa, com pena comum e tinta de Dona Benta. Mas jurou que havia de imprimi-las em papel cor do céu, tinta cor do mar e pena de pato.

O Visconde disparou na gargalhada.

– Imprimir com pena de pato! É boa!... Imprime-se com tipos, não com penas.

– Pois seja – tornou Emília. – Imprimirei com tipos de pato.

O Visconde ergueu novamente os olhos para o forro, suspirando.

Estavam os dois fechados no quarto dos badulaques. Servia de mesa um caixãozinho, e de cadeira um tijolo. Emília passeava de um lado para outro, de mãos às costas.

Ia ditar.

– Vamos! – disse ela depois de ver tudo pronto. – Escreva bem no alto do papel: "Memórias da Marquesa de Rabicó". Em letras bem graúdas.

O Visconde escreveu:

Memórias da Marquesa de Rabicó

– Agora escreva: Capítulo Primeiro.

O Visconde escreveu e ficou à espera do resto.

Emília, de testinha franzida, não sabia como começar.

Isso de começar não é fácil. Muito mais simples é acabar. Pinga-se um ponto final e pronto; ou então escreve-se um latinzinho: *FINIS*. Mas começar é terrível. Emília pensou, pensou, e por fim disse:

– Bote um ponto de interrogação; ou, antes, bote vários pontos de interrogação. Bote seis...

O Visconde abriu a boca.

– Vamos, Visconde. Bote aí seis pontos de interrogação – insistiu a boneca. – Não vê que estou indecisa, interrogando-me a mim mesma?

E foi assim que as "Memórias da Marquesa de Rabicó" principiaram de um modo absolutamente imprevisto:

Capítulo Primeiro
???????

Emília contou os pontos e achou sete.

– Corte um – ordenou.

O Visconde deu um suspiro e riscou o último ponto, deixando só os seis encomendados.

– Bem – disse Emília. – Agora ponha um... um... um...

O Visconde escreveu três uns, assim: 1,1,1.

Emília danou.

– Pedacinho de asno! Não mandei escrever nada. Eu ainda estava pensando. Eu ia dizer que escrevesse um ponto final depois dos seis de interrogação.

O Visconde começou a assoprar e a abanar-se. Por fim disse:

– Sabe que mais, Emília? O melhor é você ficar sozinha aqui até resolver definitivamente o que quer que eu escreva. Quando tiver assentado, então me chame. Do contrário a coisa não vai.

– É que o começo é difícil, Visconde. Há tantos caminhos que não sei qual escolher. Posso começar de mil modos. Sua ideia qual é?

– Minha ideia – disse o Visconde – é que comece como quase todos os livros de Memórias começam – contando quem está escrevendo, quando esse quem nasceu, em que cidade etc. As aventuras de Robinson Crusoé, por exemplo, começam assim: "Nasci no ano de 1632, na cidade de Iorque, filho de gente arranjada etc.".

– Ótimo! – exclamou Emília. – Serve. Escreva: Nasci no ano de... (três estrelinhas), na cidade de... (três estrelinhas), filha de gente desarranjada...

– Por que tanta estrelinha? Será que quer ocultar a idade?

– Não. Isso é apenas para atrapalhar os futuros historiadores, gente muito mexeriqueira. Continue escrevendo: E nasci de uma saia velha de Tia Nastácia. E nasci vazia. Só depois de nascida é que ela me encheu de pétalas de uma cheirosa flor cor de ouro que dá nos campos e serve para estufar travesseiros.

– Diga logo macela, que todos entendem.

– Bem. Nasci, fui enchida de macela que todos entendem e fiquei no mundo feito uma boba, de olhos parados, como qualquer boneca. E feia. Dizem que fui feia que nem uma bruxa. Meus olhos Tia Nastácia os fez de linha preta. Meus pés eram abertos para fora, como pés de caixeirinho de venda. Sabe, Visconde, por que eles têm os pés abertos para fora?

– Há de ser da raça – respondeu o Visconde.

– Raça, nada. É o hábito de ficarem desde muito crianças grudados ao balcão vendendo coisas. Têm de abrir os pés para melhor se encostarem no balcão, e acabam ficando com os pés abertos para fora. Eu era assim. Depois fui melhorando. Hoje piso para dentro. Também fui melhorando no resto. Tia Nastácia foi me consertando, e Narizinho também. Mas nasci muda como os peixes. Um dia aprendi a falar.

– Sei como foi a história – disse o Visconde. – Você engoliu uma falinha de papagaio.

– Está errado! Narizinho teve dó do papagaio e não deixou que o matassem para tirar a falinha. Fiquei falante com uma pílula que o célebre Doutor Caramujo me deu[1]. Narizinho conta que a pílula era muito forte de modo que fiquei falante demais. Assim que abri a boca, veio uma torrente de palavras que não tinha fim. Todos tiveram de tapar os ouvidos. E tanto falei que esgotei o reservatório. A fala então ficou no nível.

– Tenha paciência, Emília – disse o Visconde. – Ficou muito acima do nível, porque a verdade é que você ainda hoje fala mais do que qualquer mulherzinha.

– Mas não falo pelos cotovelos, como elas. Só pela boca. E falo bem. Sei dizer coisas engraçadas e até filosóficas. Inda há pouco Dona Benta declarou que eu tenho coisas de verdadeiro filósofo. Sabe o que é filósofo, Visconde?

O Visconde sabia, mas fingiu não saber. A boneca explicou:

– É um bicho sujinho, caspento, que diz coisas elevadas que os outros julgam que entendem e ficam de olho parado, pensando, pensando. Cada vez que digo uma coisa filosófica, o olho de Dona Benta fica parado e ela pensa, pensa...

– Ficam pensando o quê, Emília?

– Pensando que entenderam.

O Visconde enrugou a testinha e quedou-se uns instantes de olho parado, pensando, pensando. Aquela explicação era positivamente filosófica.

– E como sou filósofa – continuou Emília – quero que minhas Memórias comecem com a minha filosofia da vida.

– Cuidado, Marquesa! Mil sábios já tentaram explicar a vida e se estreparam.

– Pois eu não me estreparei. A vida, senhor Visconde, é um pisca-pisca. A gente nasce, isto é, começa a piscar. Quem para de piscar, chegou ao fim, morreu. Piscar é abrir e fechar os olhos – viver é isso. É um dorme-e-acorda, dorme-e-acorda, até que dorme e não acorda mais. É, portanto, um pisca-pisca.

O Visconde ficou novamente pensativo, de olhos no teto. Emília riu-se.

– Está vendo como é filosófica a minha ideia? O senhor Visconde já está de olhos parados, erguidos para o forro. Quer dizer que pensa que entendeu... A vida das gentes neste mundo, senhor sabugo, é isso. Um rosário de piscadas. Cada pisco é um dia. Pisca e mama; pisca e anda; pisca e brinca; pisca e estuda; pisca e ama; pisca e cria filhos; pisca e geme os reumatismos; por fim pisca pela última vez e morre.

– E depois que morre? – perguntou o Visconde.

– Depois que morre vira hipótese. É ou não é?

O Visconde teve de concordar que era.

O VISCONDE COMEÇA A TRABALHAR PARA EMÍLIA. HISTÓRIA DO ANJINHO DE ASA QUEBRADA

Nesse ponto um urro veio distrair-lhes a atenção. Era Quindim, chamando Emília para uma prosa.

– Escute, Visconde – disse ela. – Tenho coisas muito importantes a conversar com Quindim. Fique escrevendo. Vá escrevendo. Faça de conta que estou ditando. Conte as coisas que aconteceram no sítio e ainda não estão nos livros.

– A história do anjinho de asa quebrada serve? – indagou o Visconde.

– Ótimo! Ninguém lá fora sabe o que aconteceu por aqui com o anjinho que cacei na Via Láctea. Conte isso e mais outras coisas. O que quiser. Vá contando, contando.

– Mas assim as Memórias ficam minhas e não suas, Emília.

– Não se incomode com isso. No fim dou um jeito; faço como na "Aritmética...".

Disse e saiu correndo.

O Visconde ficou de pena no papel, a pensar, a pensar. Por fim começou:

O Anjinho de asa quebrada

As crianças que leram *Reinações de Narizinho* com certeza também leram a *Viagem ao céu*, onde veem contadas as aventuras dos netos de Dona Benta, da Emília e também as minhas no país dos astros. Não recordarei, portanto, nada disso. Só direi que houve lá por cima tais estrepolias que os astrônomos da Europa vieram queixar-se a Dona Benta das brincadeiras que estavam perturbando a harmonia celeste. Dona Benta, então, nos chamou para baixo com um bom berro: "Desçam já daí, cambada!".

Descemos todos, e com grande espanto Dona Benta viu que Emília tinha trazido o anjinho de asa quebrada, que descobrira, muito triste da vida, lá entre as estrelas. Ninguém descreve o rebuliço que houve na casa. A vida parou. Os pintos ficaram sem quirera. A Vaca Mocha ficou sem palhas. O feijão queimou na panela. Ninguém queria saber de outra coisa senão ver, cheirar, apalpar e conversar com o anjinho.

E havia razão para isso, porque jamais descera ao mundo uma criatura tão mimosa. É até difícil dar ideia da galanteza daquela florzinha das alturas. Muito louro, cabelos cacheados, olhos azuis, asas mais brancas que as do cisne. Como era lindo! Infelizmente uma das asas se partira no ossinho do encontro, o que o impedia de voar. Infelizmente para ele; para nós foi felizmente. Se não fosse o quebramento da asa, Emília não o pegaria e nós não teríamos o gosto de conhecer em pessoa aquele mimo dos céus.

Uma criatura do céu não pode saber nada das coisas da terra, de modo que o anjinho se mostrou de uma ignorância absoluta de tudo quanto aqui por baixo a gente sabe até de cor. Teve de ir aprendendo com Emília, a professora.

– Árvore, sabe o que é? – perguntava ela.

E como o anjinho arregalasse os olhos azuis esperando a explicação, Emília vinha logo com uma das suas.

– Árvore – dizia – é uma pessoa que não fala; que vive sempre de pé no mesmo ponto; que em vez de braços tem galhos; que em vez de unhas tem folhas; que em vez de andar falando da vida alheia e se implicando com a gente (como os tais astrônomos) dão flores e frutas. Umas dão pitangas vermelhas; outras dão laranjas doces ou azedas – e é destas que Tia Nastácia faz doces; outras, como aquela enorme ali (as lições eram sempre no pomar) dão umas bolinhas pretas chamadas jabuticabas. Vamos, repita: ja-bu-ti-ca-ba...

O anjinho atrapalhava-se e repetia errado: ja-ti-bu-ca-ba... fazendo Emília rolar de rir.

As perguntas do anjinho eram sempre de uma infinita ingenuidade.

– Mas por que essas tais árvores nunca saem do mesmo lugar?

– Porque têm raízes – explicava a Emília. – Raiz é o nome das pernas tortas que elas enfiam pela terra adentro. Bem que querem andar, as pobres árvores, mas não conseguem. Só saem do lugarzinho em que nascem quando surge o machado.

– Que animal é esse?

– Machado é o mudador das árvores, muda a forma delas, fazendo que o tronco e os galhos fiquem curtinhos. Muda-lhes até o nome. Árvore machadada deixa de ser árvore. Passa a ser lenha. Le-nha. Repita.

– É algum deus esse machado tão poderoso assim?

Emília ria-se, ria-se...

– Deus, nada, burrinho! É antes um diabo malvadíssimo, mas diabo sem chifres, sem cauda, sem pés de cabra, sem cabeça, sem braços, sem nada. Só tem corte e cabo...

– Que é cabo?

– Cabo é uma perna só, por onde a gente segura. Faca tem cabo. Garfo tem cabo. Bule tem cabo (e bico também). Até os países têm cabo, como aquele famoso Cabo da Boa Esperança que Vasco da Gama dobrou; ou aquele Cabo Roque, da Guerra de Canudos, um que morreu e viveu de novo. Os exércitos também têm cabos. Tudo tem cabo, até os telegramas. Para mandar um telegrama daqui à Europa os homens usam o cabo submarino.

O anjinho ficava de boca aberta, sem entender coisa nenhuma.

– Então o "submar" também tem cabo?

– Como não? E compridíssimos, que vão de um continente a outro.

– E é por esses cabos que a gente pega no mar?

Emília ria-se, ria-se. O pobre anjinho não tinha ideia nenhuma das coisas da terra, porque sempre vivera no céu, lá nas nuvens. Emília era obrigada a explicar tudo, tudo...

– Oh – disse ela – você não imagina como é interessante a língua que falamos aqui! As palavras da nossa língua servem para indicar várias coisas diferentes, de modo que saem os maiores embrulhos. O tal cabo, por exemplo. Ora é isto, ora é aquilo. Há os cabos de faca, de bule, de panela, como eu já disse, que são as pontas por onde a gente pega nesses objetos. Há os cabos da geografia, que são terras que se projetam mar adentro. Há os cabos do exército, que são soldados. Há os cabos submarinos, que são uns fios de cobre compridíssimos por meio dos quais os homens passam telegramas de um continente a outro por dentro dos mares. E há um tal "dar cabo" que é destruir qualquer coisa.

– Mas por que é assim?

– Para atrapalhar a gente. Eu penso que todas as calamidades do mundo vêm da língua. Se os homens não falassem, tudo correria muito bem, como entre os animais que não falam. As formigas e as abelhas, por exemplo. Esses bichinhos vivem na maior ordem possível, com suas comidinhas a hora e a tempo – e que comidas! O mel é uma perfeição que você nem sonha! Exatinho da cor de seus cabelos, mas sem cachos; em vez de cachos tem favos. E qual o segredo da felicidade desses animaizinhos? Um só: não falam. No dia em que derem de falar, adeus ordem, adeus paz, adeus mel! A língua é a desgraça dos homens na terra.

– Se é assim, por que eles não cortam a língua?

Emília ria-se, ria-se.

– Cortar a língua? Essa palavra língua quer dizer duas coisas: um órgão da boca, onde está localizado o paladar e também a fala dos homens. Há línguas do Rio Grande, que vêm em latas e servem para comermos e há as línguas da falação – a língua latina, a grega, a portuguesa, a inglesa. Estas não servem para comer – só para armar bate-boca...

– Que é isso?

– Brigas sonoras. Antes de brigar com socos e tapas e tiros, as criaturas brigam com desaforos.

– Que é desaforo?

– Desaforo é fazer certos elogios a uma pessoa. Vou dar um exemplo. Temos por aqui um animal chamado cachorro ou cão, bicho de muito bons sentimentos, o mais amigo do homem. É tão dedicado e amoroso, que o consideram o símbolo da fidelidade. É o cão que guarda os quintais contra os homens ladrões. É o cão que descobre a caça no mato. É o cão que puxa os trenós nas regiões só de gelo. É no cão que o homem faz experiências de laboratório. O cão é um colosso. Pois bem. Quando um homem compara outro homem ao cão, dizendo "Tu és um cão", o outro puxa faca. Desaforo é isso...

– Não estou entendendo – murmurou o anjinho. – Se o cão é um animal com tais qualidades, chamar cão a um homem devia até ser uma honra.

– Pois é coisa de puxar faca ou dar tiro. Outro exemplo. Há por aqui certo animal ainda mais precioso que o cão – a vaca. A maior maravilha de bondade e utilidade que existe no mundo é a vaca. Dá leite para os filhotes dos homens. Dá queijo. Dá manteiga. Além disso dá os bezerros, que crescem, viram bois e vão puxar os carros dos homens e os arados com que eles remexem a terra para fazer suas plantações. Dá a carne com que os homens fazem bifes e picadinhos. Dá o couro com que os homens se calçam. Dá o mocotó com que as cozinheiras preparam as geleias, um doce gostosíssimo. Dá os ossos com que se fazem botões e mil coisas.

– Então é a maravilha das maravilhas! – observou o anjinho, entusiasmado com a vaca.

– Se é! Tão maravilha que em certos países, como no Egito, a vaca era adorada, virou deusa. Além disso, a vaca é de uma docilidade infinita. Basta dizer que eu, que sou deste tamanhinho, faço o que quero da Vaca Mocha de Dona Benta. Aquele animalão me obedece em tudo – vai para lá, vem para cá, vira para a esquerda, vira para a direita – é só eu falar com ela. E de medo de mim não é, porque com uma chifrada a Mocha me joga longe. Por bondade apenas, por docilidade de gênio. Pois muito bem. A vaca é tudo isso que acabo de dizer e ainda muito mais. No entanto, se você comparar a mais suja negra da rua com uma vaca, dizendo: "Você é uma vaca" – a negra rompe num escândalo medonho e se estiver armada de revólver dá tiro...

– Que coisa interessante! – exclamou o anjinho, assombrado.

– E vice-versa – continuou Emília. – Há por aqui uns animais que são malvadíssimos, umas verdadeiras pestes, como a tal cobra, que tem veneno nos dentes e o tal tigre, que é estúpido e crudelíssimo. Todos os homens têm tamanho ódio às cobras e aos tigres que não podem ver um só sem o destruir imediatamente. Mas se num verso um poeta compara uma mulher a uma cobra, dizendo, por exemplo, que ela tem movimentos de serpente (serpente é o mesmo que cobra), a "elogiada" rebola-se de gosto. E se um homem compara outro a um tigre, este outro sorri. Existiu na França um célebre Clemenceau que foi apelidado o Tigre. Pensa que ele puxou faca? Nada disso. Babava-se todo quando o tratavam de tigre. Mas fosse alguém tratá-lo de cão ou vaca!... Ah, vinha tiro na certa...

O anjinho ouvia, ouvia e ficava a cismar. Realmente, era-lhe impossível entender as coisas da terra.

– Todo o mal vem da língua – afirmava a boneca. – E para piorar a situação existem mil línguas diferentes, cada povo achando que a sua é a certa, a boa, a bonita. De modo que a mesma coisa se chama aqui de um jeito, lá na Inglaterra de outro, lá na Alemanha de outro, lá na França de outro. Uma trapalhada infernal, anjinho.

Quem ficava atrapalhado era o anjinho. Emília tinha um modo desnorteado de pensar. Assim, por exemplo, as suas célebres "asneirinhas". Muitas vezes não eram asneiras, eram modos diferentes de encarar as coisas, como quando explicou ao anjinho o caso das frutas do pomar.

– Frutas são bolas que as árvores penduram nos ramos, para regalo dos passarinhos e das gentes. Dentro há caldos ou massas de todos os gostos. As maçãs usam massas. As laranjas usam caldo. E as pimentas usam um ardor que queima a língua da gente.

– Então têm fogo dentro? Fogo é que queima.

Emília ria-se.

– Ah, anjinho! Você vai custar a compreender os segredos da língua humana. Este "queima" é outro caso. Queimar é uma arte que só o fogo faz, mas quando uma coisa arde na língua nós dizemos que queima.

– Mas queima mesmo?

– Não queima, mas nós dizemos assim. Um ácido que pingamos na pele nós também dizemos que queima. Uma loja que está em liquidação nós dizemos que está "queimando" as suas mercadorias. No brinquedo do esconde-esconde, quando o que está de olhos vendados chega perto do escondido, nós dizemos que está "queimando".

– Então... então... então – dizia o anjinho – a trapalhada deve ser medonha.

Emília ria-se, ria-se.

– Eu já estive no País da Gramática, onde todos os habitantes são palavras. E um dia hei de contar por miúdo como a Gramática lida com elas e consegue dar ordem ao pensamento[2].

– Dar ordem não é mandar uma pessoa fazer uma coisa?

– É e não é. Às vezes é, outras vezes não é. Dar ordem pode ser mandar fazer uma coisa e também pode ser botar cada coisa no seu lugar.

– E como a gente sabe quando é de um jeito ou de outro?

– Pelo sentido.

– E que é sentido?

Emília desanimou. Não há nada mais difícil do que ensinar anjinhos.

– Escute cá, Flor. Quem entende bem disto de línguas e gramáticas é o Quindim. Tome umas aulas com ele.

– Que é aula?

Emília saiu correndo, senão ficava louca...

A HISTÓRIA DO ANJINHO CORRE MUNDO. O REI DA INGLATERRA MANDA AO SÍTIO DE DONA BENTA UM NAVIO CHEIO DE CRIANÇAS

As conversas de Emília com o anjinho não tinham fim, e por mais que ela explicasse as coisas da terra ele cada vez as entendia menos. Uma terrível embrulhada foi se formando em sua cabecinha.

Enquanto isso as duas velhas tratavam-lhe da asa quebrada com unguentos e emplastros. Emília não gostou daquilo.

– Se o anjinho sarar – disse ela –, é bem possível que voe e fuja daqui, e como é?

– Não voa, não! – sossegou Tia Nastácia, que tinha muita prática de criaturas que voam galinhas, marrecos e patos. – Corto a ponta de uma asa dele e quero ver.

A presença do anjinho no sítio foi causa de muitas brigas, porque a boneca se considerava dona dele. Ela o descobrira: logo, era seu. Daí os terríveis pegas com Pedrinho e Narizinho.

– Ela está monopolizando o anjo, vovó! – queixava-se a menina. – Não o larga, atropela o dia inteiro o coitadinho com as tais filosofias da vida. Eu, se fosse a senhora, tomava o anjinho dela.

Mas Dona Benta achava graça naquilo e ia deixando.

A história do anjinho começou a correr mundo. Toda gente das redondezas veio vê-lo. Os jornais deram notícias. O rádio e o telégrafo transmitiram essas notícias para todos os países. E de tal modo a novidade se espalhou que as crianças do mundo inteiro ficaram assanhadíssimas para conhecer o anjinho. Queriam à viva força vir ao sítio brincar com ele.

Mas virem como, se as crianças do mundo são milhões? Os pais e as mães explicavam aos filhos que era o maior dos absurdos pensarem em semelhante coisa. Acontece, porém, que quando uma criança quer vivamente uma coisa e não consegue dá de emagrecer, fica doentinha, cheia de bichas. E as crianças do mundo inteiro começaram a ficar doentinhas e lombriguentas de tanto desejo de virem ao sítio.

A situação tornou-se tão grave que o rei da Inglaterra, o presidente Roosevelt, o *führer* da Alemanha, o *duce* da Itália, o imperador do Japão e o *negus* da Etiópia se reuniram em conferência para tratar do assunto. Depois de muita discussão ficou assentado que todas as crianças do mundo seriam levadas ao sítio de Dona Benta. Mas por partes. Primeiro as de um país; depois as de outro – e assim até o último.

Para saber quais iriam primeiro, foi preciso tirar a sorte. O presidente Roosevelt escreveu o nome de cada país num pedacinho de papel e os botou, bem dobrados, dentro do chapéu de dois bicos do imperador do Japão. Em seguida pediu ao *negus*, que era o mais velho, para tirar um. A sorte favoreceu as crianças da Inglaterra.

Quando saiu nos jornais a notícia desse fato, foi um *hurra* imenso no Império Britânico e uma choradeira ainda maior nos outros países.

O rei da Inglaterra, então, mandou preparar um grande navio cheio de doces, brinquedos e livros de figuras, e nele embarcou a criançada inglesa sob as ordens de um dos seus melhores almirantes – o almirante Brown. Ele iria levá-las ao sítio de Dona Benta.

Viva! Viva! Viva! A criançada inglesa, no dia marcado para o embarque, encheu o enorme transatlântico *Wonderland*, na maior algazarra e pinoteamento. Ficou aquilo que nem um enorme viveiro de periquitos louros. O pobre almirante levava as mãos aos ouvidos, murmurando:

– Será possível que este barulho dure até chegarmos ao sítio de Dona Benta?

Quase ficou doido o pobre homem, porque, como era a única

gente grande de bordo (sem contar os marinheiros da tripulação), tinha de atender a tudo, apaziguar as terríveis brigas que a cada instante surgiam, por causa de um doce maior que outro ou de um livro de figuras que várias crianças queriam ver ao mesmo tempo.

Felizmente não houve temporal durante a viagem, de modo que as crianças não enjoaram, chegando ao Brasil em perfeito estado.

O momento da invasão do sítio de Dona Benta foi importante. A boa senhora não fora avisada, de modo que teve a maior surpresa de toda a sua longa vida de mais de 60 anos.

Estava Dona Benta na varanda, remendando umas meias furadas de Pedrinho, quando viu lá longe uma poeira na estrada.

– Nastácia – gritou ela –, traga o meu binóculo. Estou vendo uma poeira muito esquisita lá longe. Será boiada?

A negra trouxe o binóculo. De nada valeu. Pedrinho havia tirado os vidros para fazer aquele célebre telescópio com que espiou o dragão de São Jorge na Lua. Dona Benta, que ignorava isso, olhou pelos canudos vazios e ficou na mesma.

– Minha vista está tão cansada que nem com este binóculo, que é excelente, consigo enxergar melhor. Não está vendo uma poeirada, Nastácia?

– Estou, sim, sinhá. Mas boi não é. Por este caminho nunca passa boiada. Coisas dos meninos, sinhá vai ver. Alguma nova reinação com o tal pó de pirlimpimpim. Eles não dormem...

Nisto apareceu Narizinho, que estivera no pomar ensinando Flor das Alturas (nome do anjo) a descascar tangerinas.

– Vovó! – gritou ela assanhadíssima. – Vem vindo um bando enorme de crianças! Juro que souberam lá fora do nosso anjinho e vêm brincar com ele...

– Credo! – exclamou Tia Nastácia. – Se aquilo tudo é criançada, onde vamos parar, sinhá? Cada um é uma fome – e onde vou arranjar bolinho para tanta fome? Nem uma barrica inteira de farinha dá para contentar metade do povaréu que vem vindo...

Dona Benta começou a sentir palpitações do coração.

– Não se aflija, vovó – disse a menina. – Havemos de dar um jeito. A senhora bem sabe que sabemos dar jeito a tudo.

Disse e foi correndo conferenciar com Pedrinho e Emília. Encontrou-os no alto da pitangueira, espiando a estrada.

– Estamos fritos, Narizinho! – gritou o menino lá do galho. – Vem um tal bando de crianças, que se entenderem de nos furtar o anjo não haverá meio de resistir, furtam mesmo...

Pedrinho desceu da árvore. A ideia de que a criançada de fora vinha raptar o anjinho enchia-o de apreensões. Criança é criança. Isoladas ainda passam, mas em bandos são os bichos mais daninhos do mundo.

– E agora? – dizia ele. – Que havemos de fazer?

Emília meteu o bedelho.

– Só há um jeito – disse ela –: escondermos o anjinho no oco da figueira e vestirmos o Visconde de anjo. Se a criançada o raptar, raptará um anjo falso – o verdadeiro ficará aqui.

Pedrinho e Narizinho entreolharam-se.

– Não está má a ideia da Emília – disse o menino. – Tenho aquelas asas do gavião que o Compadre Teodorico matou outro dia. Temos a camisola nova que vovó fez para a Emília. Com isso e mais alguma coisa faremos do Visconde um anjo bem regular.

– Mas anjo tem asas brancas – objetou a menina –; as do gavião são pintadinhas.

– Com farinha de trigo eu faço asa de qualquer cor ficar branca como neve – resolveu Pedrinho. – É isso. Vamos! Corra, Emília, e pegue o Visconde. E você, Narizinho, veja barbante para amarrar as asas e o resto. Não temos um minuto a perder.

Nunca se viu no sítio correria tamanha. O anjinho verdadeiro, muito assustado sem compreender coisa nenhuma, foi escondido por Pedrinho no oco da figueira.

– Fique aqui muito quietinho. Não se mexa, não faça o menor barulho.

– Tenho medo deste escuro – disse ele. – Aqui há ratos de asas.

– E lá há raptores, que vêm vindo em bando enorme. Antes ratos do que raptores. Fique quietinho, senão tudo está perdido.

Largou-o lá bem no fundo do oco e voltou correndo. Narizinho já trouxera as asas do gavião, barbante e a camisola nova da Emília. Só faltava eu, Visconde.

– Depressa, Emília! – gritou o menino.

– Ele está resistindo – respondeu de longe a boneca. – Diz que não tem vocação para anjo...

23

- Traga-o à força! Depressa! Não há tempo a perder.

Emília puxou-me pelo braço e eles me agarraram, me enfiaram na camisola, me pregaram as asas e polvilharam tudo com uma nuvem de farinha de trigo. Fiquei um anjo esquisitíssimo, mas anjo.

- Muito bem - disse Pedrinho, afastando-se para apreciar o efeito.

- Parece um fantasma, mas serve. Agora vou pô-lo naquele galho da pitangueira. Assim todos poderão vê-lo e ninguém poderá pegá-lo. Ficando embaixo, os inglesinhos o espandongam num minuto. Criança é o diabo.

Fui então enganchado numa forquilha da pitangueira, onde fiquei suspirando. Era impossível imaginar-se anjo mais triste e cômico. As asas foram arrumadas com tanta pressa que uma logo pendeu.

— Não faz mal — disse Pedrinho. — Todos sabem que o anjinho tem uma asa quebrada. Escute, Visconde: saiba comportar-se como anjo, está entendendo? Cruze os braços no peito, e quando as crianças chegarem faça carinha de riso celestial, com os olhos erguidos. E não se meta a falar. Quem fala somos nós, aqui embaixo.

Narizinho, que subira à pitangueira, berrou lá de cima:

— Estão chegando, Pedrinho! Quase na porteira já. É hora de ir recebê-los.

Pedrinho foi. Trepou à porteira e ficou à espera. À frente do bando de crianças vinha um velho fardado, de grande chapéu de dois bicos na cabeça. A criançada parou.

O velho adiantou-se. Fez uma saudação e disse:

— Senhor, a notícia da viagem ao céu que os netos de Dona Benta fizeram chegou até nós lá na Inglaterra, e sua majestade o rei Eduardo VII houve por bem permitir que as crianças inglesas, comandadas por mim, que sou o almirante Brown, viessem visitar o anjo que a senhora Marquesa de Rabicó trouxe da Via Láctea.

Pedrinho correspondeu à saudação do almirante e disse:

— Temos muita honra em receber no sítio de vovó as crianças inglesas comandadas pelo ilustre almirante Brown. Estamos, entretanto, muito receosos de que no meio de tanta criança venham alguns elementos perversos, que nos queiram fazer mal, raptando o anjinho. Em vista disso resolvemos só dar entrada a essas crianças se por acaso o senhor almirante nos entregar um refém.

Aquelas palavras, ditas em tom firme, aborreceram o velho almirante, que não havia pensado em semelhante hipótese.

— A sua desconfiança, senhor — disse ele —, nos ofende. Os inglesinhos que trago são todos da mais fina educação.

— Sei disso — tornou Pedrinho. — Mas como pode o senhor almirante provar que entre eles não se acha oculto algum malfeitor? Eis por que resolvemos exigir um refém, sem que isso queira significar a menor ofensa ao rei da Inglaterra, nem a vossa honra, nem a toda esta criançada.

O almirante pensou por uns instantes e disse:

– Muito bem. Compreendo tudo e aceito as condições propostas. Quanto ao refém, ofereço-me a mim mesmo. Ficarei na sala, conversando com a sua excelentíssima avó, enquanto o meu bandinho de crianças se diverte no pomar.

– Perfeitamente, senhor almirante – disse Pedrinho. – Está aceita a sua proposta. Vou abrir a porteira.

Disse e, descendo da porteira, abriu-a.

– Podem entrar...

Aquilo foi o mesmo que erguer a portinhola de uma tulha de café bem cheia. Rolou criança para dentro do terreiro como rolam grãos de café da tulha aberta. Lindas todas, de todos os louros possíveis e de um corado de maçã ou pêssego. Olhos azuis, pele alvíssima. Como são lindas as crianças inglesas! Para transformá-las em anjos bastaria colar nas costas de cada uma duas asinhas.

Enquanto a onda de crianças inundava o terreiro, Narizinho, lá no pomar, me fazia as últimas recomendações, a mim, Visconde.

– E comporte-se, hein? – dizia ela. – Mãos cruzadas no peito, olhos no céu – assim... E levante um pouco a asa esquerda... Está muito caída. Assim...

Emília veio com um caixão vazio, que colocou rente ao tronco da pitangueira.

– Para que isso, Emília? – indagou a menina.

– Para guardar os presentes. Impossível que não tragam muitos presentes. Ninguém visita anjo com as mãos abanando.

Lá no oco o anjinho tremia de medo. Um dos tais "ratos de asas" viera pendurar-se bem sobre sua cabeça. Mesmo assim o anjinho não deu o menor grito, nem fez o menor movimento. Era obedientíssimo.

Dona Benta estava na varanda, muito bonitona no seu vestido preto de babados. Pedrinho conduziu para lá o almirante.

– Vovó – disse ele, tenho a honra de apresentar o senhor almirante Brown, que sua majestade o rei da Inglaterra mandou comandando as crianças que morriam de vontade de brincar com o anjinho. O almirante concordou em ficar como refém aí na sua sala.

Dona Benta empertigou-se toda e respondeu:

– Tenho imenso orgulho em conhecer vossa honra, senhor almirante Brown. Só não estou entendendo essa história de refém a que meu neto acaba de referir-se...

Pedrinho explicou rapidamente que era uma garantia contra qualquer depredação que as crianças fizessem no sítio.

– Que absurdo, meu filho! – exclamou Dona Benta. – Só me admiro de o almirante não ter-se magoado com uma desconfiança dessa ordem. A honra altíssima que nos faz o rei da Inglaterra é a maior com que poderíamos sonhar, e se você, Pedrinho, mostrou desconfiança, a ponto de obrigar o almirante Brown a oferecer-se como refém, bem triste ideia ficará ele fazendo da nossa hospitalidade...

– Tudo isso é muito lindo, vovó – respondeu Pedrinho –, mas a senhora bem sabe como são crianças. Podem revoltar-se contra o almirante e nos furtar o anjinho, e como é? Ele é um e elas são muitas.

O velho inglês sorriu.

– Se fosse assim, meu menino, não poderia haver exércitos no mundo, nem esquadras. Os generais e almirantes, que comandam exércitos e esquadras enormes, não os mantêm na disciplina por meio da força física – sim da força moral. Com a força moral, um homem sozinho domina milhões.

– Ele é bobinho, almirante – explicou Dona Benta. – Não faça caso do que disse. Vá entrando sem a menor cerimônia, porque esta casa é sua. E a criançada que vá com Pedrinho e brinque à vontade. Laranjas temos bastante.

O almirante subiu os seis degraus da varanda, com o chapéu de dois bicos debaixo do braço. Apertou a mão de Dona Benta com tal força que ela fez uma careta.

– Queira sentar-se, senhor almirante – disse a boa velha disfarçando a dor. E para dentro: – Nastácia, veja depressa um cafezinho.

– Eu preferiria um uísque, minha senhora – murmurou o almirante, que estava morto de sede, mas sede de inglês, dessas que só uísque mata.

Não havendo uísque na casa, Dona Benta fez sinal a Pedrinho para que mandasse buscar na venda do Elias Turco uma garrafa. E depois, para o ilustre personagem:

– Creia, almirante, que esta sua visita em nada me espanta. E sabe por quê? Porque estou acostumada aos maiores prodígios do mundo. O que acontece neste sítio, meu Deus do céu!, nem queira saber, almirante! No começo está claro que muito nos assustávamos, eu e Tia Nastácia. Mas hoje... As aventuras dos meus netos não têm conta. Até pelo céu já andaram – pela Via Láctea, imagine...

– Sei disso, minha senhora. Os jornais de Londres trataram do caso dos astrônomos que aqui estiveram em comissão, e com o saudoso rei Jorge V, que Deus haja, tive ensejo de conversar a respeito. Ele achava a Marquesa de Rabicó um serzinho muito interessante, embora um tanto *shocking* às vezes...

– Pobre rei Jorge! – suspirou Dona Benta. – Senti imensamente a morte sua. Que carga pesada não há de ser a do rei de um grande império! Eis uma vida que eu não invejo.

– Nem eu – ajuntou o almirante. – Prefiro comandar os meus cruzadores a reinar sobre o mundo.

– E a rainha viúva, como vai indo? Mais consoladinha já?

– Vai vivendo, minha senhora. O golpe foi terrível.

Dona Benta suspirou.

– Não valemos nada nesta vida, almirante. Quando chega o nosso dia, o gancho da morte nos pesca, sejamos reis ou mendigos. Mas... parece que está bem cansado, almirante...

– Mais que cansado, minha senhora. Estou meio morto. É então brincadeira uma viagem destas, de duas semanas no mar, lidando com um carregamento de mil crianças endemoninhadas? *Uf!*...

– Realmente! Eu aqui no sítio, com dois netos apenas, às vezes me vejo doida. São dois que valem por dois mil, tais as maluquices que inventam, ou as reinações, como eles dizem. Mas não faça cerimônia, almirante. Tenho ali a minha redinha. Deite-se e tire um corte de sono.

O almirante não esperou segundo convite. Acomodou-se como pôde na redinha de Dona Benta e foi fechando os olhos.

Quando Tia Nastácia apareceu com a bandeja de café, ele roncava.

– *Pssiu!* Não o acorde... – sussurrou Dona Benta. – O almirante está morto de canseira. Imagine que passou duas semanas no mar, lidando com mil crianças, isso da Inglaterra até aqui...

– Credo! – exclamou a preta. – Esses ingleses têm cada uma!... Bem diz seu Pedrinho que eles são "cêntrico".

– Excêntricos, Nastácia – corrigiu Dona Benta. – E a criançada? Como está se comportando lá no pomar?

– Nem sei, sinhá. Não espiei ainda – nem tenho coragem de espiar. Estou só imaginando os "horrores"...

O ANJO FALSO. PROTESTO DAS CRIANÇAS INGLESAS. APARECE PETER PAN. CONVERSAS COM O ANJINHO VERDADEIRO

A criançada inglesa, depois que o almirante entrou na sala de Dona Benta, foi com Pedrinho para o pomar.

– O anjo! O anjo! – gritavam todas. – Queremos ver o anjo!...

Pedrinho deteve-se diante da pitangueira e apontou para a estranha figura de mãos cruzadas no peito e olhos no céu, enganchada na forquilha da árvore.

– Lá está ele! O anjo é aquilo.

Fez-se grande silêncio. Milhares de olhos azuis se enfocaram na figurinha. Súbito, uma das crianças exclamou: "Que anjo feio!" – e a barulhada começou. "Não valia a pena virmos de tão longe para vermos isso" – gritou outra. E terceira: "Em qualquer casa de brinquedos em Londres temos coisa melhor". E quarta: "Parece anjo de pau... Nem se mexe".

Narizinho me fez sinal, a mim, Visconde, para que me mexesse e fiz uns movimentos muito desajeitados.

– Quê? – berrou de repente uma menina. – Anjo de cartola? Onde já se viu isso?

De fato. Na pressa da arrumação os meninos esqueceram-se de tirar da minha cabeça a célebre cartolinha, de modo que lá estava o anjo de cartola na cabeça, muito branca, porque também fora polvilhada de farinha de trigo.

Emília salvou a situação. Trepando no caixãozinho, pediu silêncio e disse:

– Vou explicar o motivo da cartola. Dona Benta nos contou que a cartola é uma invenção inglesa; daí a nossa ideia de botar uma cartolinha na cabeça dele como homenagem às crianças inglesas que o vinham visitar.

Os inglesinhos entreolharam-se. A explicação era boa. Mas continuaram a estranhar o anjo.

– Os que conheço dos livros de figura – disse um – são muito mais bonitos. São gordinhos. Esse é magro como bacalhau.

Emília explicou:

– É que andou doente. O pobrezinho quebrou a asa num tombo que deu lá nas estrelas. Está sarando; logo fica tão gorducho como antes. Não notam que está com a asa esquerda caída? Quebrou-a bem no encontro. Tia Nastácia já botou cola-tudo.

– Mas a cara dele não é de anjo – observou outra criança. – Parece cara feita com faca. Verdadeira cara de pau...

– É da doença – insistiu Emília. – Vocês que não têm asas não imaginam como quebradura de asa esquerda desfigura um pobre anjo...

Apesar das belas explicações as crianças inglesas continuavam de nariz torcido. Não conseguiam engolir aquele anjo tão feio.

– Francamente, perdemos a nossa viagem – murmuraram diversas – e o melhor é levarmos de volta os presentes trazidos. Esse anjo não merece nenhum, nem merece que brinquemos com ele. Só merece um pontapé...

E a vaia começou.

– Fora o anjo magro!...

– Morra o anjo feio!...

– Lincha o anjo cartoludo!...

O berreiro tornava-se cada vez maior, e a coisa acabaria em desastre, se um lindo menino não surgisse berrando:

– Parem! Nem mais uma palavra! Quem vai agir agora sou eu.

– Peter Pan! – exclamou Pedrinho, reconhecendo o famoso menino que jamais quis crescer.

– Sim, sou Peter Pan, e já sei de tudo. Esse anjo é falso, é o tal Visconde disfarçado em anjo. O anjinho verdadeiro está escondido em qualquer parte.

– E se for assim? – gritou Pedrinho assustado.

– Se for assim – tornou Peter Pan – ou vocês nos mostram o anji-nho verdadeiro, ou nós damos uma busca em regra neste sítio até o descobrirmos.

Pedrinho encheu-se de coragem e disse com voz firme:

– Nós estamos em nossa casa e saberemos defendê-la contra tudo e contra todos. Medo não temos – de nada! Quem manda aqui no sítio sou eu – depois de vovó. Por bem a coisa vai, senhor Pan, mas por mal a coisa não vai, não! Nem a pau! Nem a tiro de revólver! Lembre-se que o almirante Brown está como refém lá na sala de vovó. A vida daquele velho nos foi confiada em garantia do bom comportamento de vocês...

Peter Pan caiu em si. Além disso, não queria brigar; queria apenas ver o anjinho verdadeiro; de modo que perdeu a empáfia e disse conciliatoriamente:

– Reconheço que está em sua casa, Pedrinho, mas você há de admitir que é uma verdadeira judiação nos receberem deste modo. Fizemos uma viagem longuíssima, por ordem do rei, para visitar o anjinho, e ao chegarmos vocês nos impingem um macaco de sabugo! Ora, é preciso concordar que isso é um pouco meio muito...

– Macaco de sabugo dobre a língua! – gritou Emília. – O Visconde é um verdadeiro sábio, estimadíssimo de todos daqui, até de Dona Benta. Retire o macaco!...

Peter Pan, que não queria brigar, retirou o macaco e disse, voltando-se para Pedrinho:

– Vamos. Responda à minha interpelação.

Pedrinho confessou tudo.

– Sim, é verdade. Confesso que o anjo verdadeiro é outro – e está bem escondido. Fizemos isso porque sabemos o que são crianças e tivemos medo que nos escangalhassem o anjinho.

– Muito bem! – exclamou Peter Pan. – Agora que lealmente nos confessou a maroteira, mostre-nos o anjo real. Não receie coisa alguma. Eu me responsabilizo por tudo. Não deixarei que criança nenhuma toque nele.

– Isso muda o aspecto da questão – tornou Pedrinho. – Já que você se responsabiliza, poderei mostrar o anjinho verdadeiro. Mas ninguém há de pegar nele! É delicadíssimo, um verdadeiro vidro, e assusta-se com qualquer coisa.

– Não tenha medo de nada, Pedrinho. Eu não deixarei que as crianças da Inglaterra quebrem o anjinho.

Enquanto os dois discutiam, Emília se atracava com Alice do País das Maravilhas, que também viera no bando. Alice estava torcendo o nariz a tudo e achando que aquele sítio não parecia digno de um anjinho.

– Uma casa velha, estas árvores tortas por aqui, aquele leitão lá longe nos espiando – então isto lá é morada digna de um anjinho caído do céu? Os anjos querem nuvens bem redondas. Se o levássemos para Londres, haveríamos de dar-lhe um palácio de cristal cheio de nuvens de ouro – ouro fofo bem macio.

– A senhora está muito enganada – rebateu Emília. – O anjinho anda muito satisfeito por aqui. Tem se regalado de brincar. Outro dia me disse que estava enjoado de nuvens redondas e não trocava todas as nuvens do céu por este pomar.

– Disse isso por simples delicadeza – volveu Alice. – Os anjos são as criaturas mais delicadas que há. Mas se você entrar bem dentro da ideia dele, vai ver que está doidinho por ir conosco para a Inglaterra.

– Pois daqui não sai, nem que o mundo venha abaixo! – gritou

Emília. – Se fazem muita questão de possuir um anjo, podem levar o da pitangueira...

Estavam nesse ponto quando Pedrinho e Peter Pan chegaram a acordo. Depois de tudo bem combinado, o reizinho da Terra do Nunca bateu palmas e gritou:

– Criançada! Pedrinho cedeu aos meus argumentos. Vai mostrar--nos o anjinho verdadeiro, mas com uma condição: ninguém tocar nele, porque é um verdadeiro vidro. Espero que essa condição seja respeitada por todos, visto como acabo de dar a Pedrinho a minha palavra de honra.

Houve um murmúrio de descontentamento. As crianças inglesas são como todas as mais: não se contentam com ver as coisas, querem pegar também. Em todo caso, como Peter Pan dera a sua palavra de honra, não houve remédio senão se conformarem.

– Emília – disse então Pedrinho –, vá depressa ao oco e traga o anjo.

Emília foi correndo. Instantes depois voltava, muito cheia de si, trazendo pela mão a encantadora criaturinha celeste.

Que delírio! Na maior curiosidade a criançada inglesa se reuniu em redor dele; como fossem muitas, as que não conseguiram lugar na frente treparam às árvores para ver melhor. As árvores do pomar ficaram mais cheias de crianças do que de frutas. Volta e meia um galho estalava e caía com diversas, num berreiro medonho.

Quem primeiro dirigiu a palavra ao anjinho foi Alice. Ajoelhou-se diante dele, no maior dos enlevos, e murmurou:

– Encantinho, como é o seu nome?

– Meu nome é Florzinha das Alturas para a servir – foi a galanteza da resposta.

– Como é delicado! – exclamou Alice voltando-se para Peter Pan.

– Florzinha das Alturas para me servir!... E que idade tem, anjinho?

– Não tenho idade – respondeu ele. – Sou parado, não cresço. Há séculos que vivo sempre deste mesmo tamanhinho...

– Está vendo, Peter Pan? – gritou Alice. – Tal qual você. É parado. Não cresce...

– É como eu também – juntou Emília. – Eu também não cresço. Nasci deste tamanho e deste tamanho ficarei sempre. Sabem que a professora do anjinho sou eu? Eu, sim!... Tenho-lhe ensinado mil coisas. Pergunte-lhe, por exemplo, o que é flor.

Alice perguntou ao anjinho o que era flor.

– Flor – respondeu ele – é um sonho colorido e cheiroso, que com as raízes as plantas tiram do escuro da terra e abrem no ar. Foi como Emília me ensinou.

Todos se admiraram da poesia daquela definição, mas Alice não queria ouvir o anjinho repisar as coisas ensinadas pela Emília; queria saber como eram as coisas lá no céu.

– Conte-nos como é lá. Deve ser lindo, não? Conte a sua vidinha toda...

O anjinho contou:

– Não me lembro quando nasci. Acho que sou filho das nuvens e das estrelas, porque sempre me achei rodeado de nuvens e estrelas. Meu principal brinquedo era fazer bolinhos de massa cósmica para jogá-los no éter. Esses bolinhos iam crescendo no espaço e viravam novas estrelas...

– E os cometas de cauda? Fazia também bolinhos de cometas? – quis saber Alice.

– Sim. É muito fácil. Basta fazer um bolinho redondo e depois dar um puxo de um lado, deixando um começo de rabinho. Quando a gente joga esses bolinhos no espaço, a velocidade vai fazendo que o rabinho se encompride cada vez mais, e se abra todo, muito fofo, adquirindo aquela forma de cauda de cometa que vocês aqui conhecem...

A criançada inglesa estava maravilhada e doida por ir brincar de "bolinhos de estrelas" no céu. Emília torceu o nariz, e como uma das crianças lhe perguntasse se também não estava doida por aquilo respondeu com ar de farta:

– Já me enjoei disso. Fiz tanto bolinho de estrela e cometa lá na Via Láctea que hoje até prefiro fazer bolinhos de barro. Estou farta...

As crianças inglesas olharam-na com profunda inveja. Alice prosseguiu nas perguntas.

– E as nuvens? Muito macias?

– Mais que a paina daqui. Não existe nada mais lindo que as nuvens, porque não param nunca de mudar de forma e cor. Eu rolava por cima das redondas, como se fossem travesseiros de sonho. Atirava-me de uma para outra, às vezes de grande altura. Quando caía, mergulhava até ao meio. Uma gostosura!...

– Mas brincava sozinho?

– Não. Há lá milhões de anjinhos como eu. Brincávamos o dia todo. Foi numa dessas brincadeiras que houve o desastre.

– Conte como foi esse desastre – pediu Alice.

– Eu estava com os outros brincando de rolar de nuvem em nuvem. Nisto formou-se embaixo de nós uma grande. Dei um pulo. Quando caía, afundei dentro da nuvem até ao meio, gostosamente. Súbito, um choque aqui no encontro da asa esquerda. Dei um grito. Eu havia esbarrado num corpo estranho.

– Corpo estranho? – exclamou Alice. – Pois há corpos estranhos nas nuvens?

– Não há – disse o anjinho –, mas nesse dia houve. Dentro da nuvem estava um corpo estranho que eu só enxerguei no momento do choque. Tinha pernas e braços, cabeça e cartola...

– Era o Visconde! – berrou Emília. – Na nossa viagem ao céu ele caiu da Lua e ficou girando no espaço como satélite. Numa das voltas com certeza esbarrou no anjinho.

– E depois? – indagou Alice, cada vez mais curiosa.

– Depois perdi os sentidos. Não vi mais nada. Quando meus olhos se abriram, encontrei-me na imensa planície da Via Láctea, no colo de uma criaturinha estranha. Era aqui a Emília...

Emília voltou-se para a criançada, radiante de orgulho, para que todos vissem que era ela mesma.

– E que mais?

– Emília me ninava, e quando abri os olhos me falou uma porção de coisas que não entendi. Depois vieram vindo os outros. Apareceu aquela lá – e apontou para Narizinho –; e aquele lá – e apontou para Pedrinho. – E também um senhor muito sério, de grandes orelhas e olhar triste.

– O Burro Falante! – gritou Emília.

Peter Pan cochichou para Pedrinho que fazia muita questão de conhecer o burro.

– E depois? – volveu Alice.

– Depois descemos do céu – disse o anjinho. – Dona Benta nos havia chamado com um berro: "Já para baixo, cambada!" Os astrônomos estavam aqui neste sítio, se queixando das reinações feitas lá nas alturas. Quando cheguei e vi esses homens tive medo. Umas barbas grandes, óculos no nariz, carecas...

– E como vai se dando por aqui?

– Otimamente! – respondeu o anjinho. – Todos me querem muito e me tratam na palma da mão. Nastácia faz uns quitutes que não existem lá no céu. É das pipocas que eu gosto mais. Também dos bolinhos...

– Bolinhos de estrelas?

– Não. De um pó branco...

– Farinha de trigo! – berrou Emília.

– Ela amassa esse pó com gema de ovo e gordura – continuou o anjinho. – Enrola os bolinhos entre as palmas brancas de suas mãos pretas e os põe em lata num buraco muito quente chamado forno. Passado algum tempo os bolinhos ficam no ponto – e é só comer.

– Que galanteza! – exclamou Alice. – Que amor! Com que graça ele conta uma simples receita de bolinho!... E frutas? Também come?

– Se come! – berrou Emília. – Gulosíssimo, até. Para devorar pitangas, não há outro.

– Sim – confirmou o anjinho –, gosto muito de pitangas, quando estão com o vermelho já bem escuro. Das verdes, amarelas ou apenas um pouco vermelhas, não gosto. Muito azedas. Outra fruta de que gosto muito são as *jatibucabas*...

– Ja-bu-ti-ca-bas! – emendou Emília. – Não há meio de ele dizer certo...

– Também vocês aqui no Brasil arranjam cada nome para as frutas! – observou Alice, que nunca tinha visto jabuticaba. – Essa, a avaliar pelo nome, deve ser do tamanho de uma melancia.

– Ao contrário – disse Narizinho. – O nome é grande, mas a fruta é das menores que temos. Pretinha e assinzinha...

– E agora é tempo? – quis saber Peter Pan, já com água na boca.

– Antes "sesse"! – suspirou Emília. – Agora só temos laranja. Gosta de laranja-lima, Peter?

– Se gosto! – respondeu ele. – Pelo-me! Qual é o pé?

– Aquele baixinho, perto da cerca. Tem canivete?

Peter Pan correu a apanhar meia dúzia de laranjas, que veio chupar perto do anjinho. Ao verem aquilo as outras crianças também ficaram com água na boca. Foi uma correria.

– *Oranges, oranges!* – gritavam em inglês.

O avança foi tamanho que não ficou no pomar uma só laranja

para remédio. – Eu quero de cuia! – dizia uma. – Eu quero de gomo! – dizia outra. Um amarelo tapete de cascas recobriu o chão.

– Que coisa gostosa – murmurou Alice – chupar laranja-lima ao lado de um anjinho do céu que conta as coisas de lá! Estou mudando de opinião, Emília. Estou achando que esse sítio de Dona Benta é ainda mais gostoso que o nosso Kensington Garden lá de Londres...

– E é mesmo – observou Narizinho. – Não há lugar no mundo que valha o sítio de vovó. Quem o vê pela primeira vez, com estas árvores velhas, todo espandongado, não dá nada por ele. Mas depois que o conhece não troca nem pela Califórnia, que é um paraíso. O sítio de vovó é gostoso como um chinelo velho.

E a menina pôs-se a contar as mil coisas passadas ali, as aventuras do pó de pirlimpimpim, o encontro do Burro Falante lá no País das Fábulas, o casamento dela com o Príncipe Escamado, a ida ao País da Gramática e outros episódios aventurescos.

– Até ao País da Gramática vocês foram? – exclamou Alice admirada.

– E saiba que nos divertimos muito. O Visconde raptou um ditongo e Emília desmoralizou completamente uma velha coroca implicantíssima, chamada Ortografia Etimológica. Olhe, Alice, se você passar dois dias aqui conosco, juro que não quer mais saber da Inglaterra.

– Estou vendo – respondeu Alice. – Isto aqui parece que vale a pena...

O ALMIRANTE ASSOMBRA-SE COM O QUE VÊ

Lá na sua salinha Dona Benta conversava com o almirante Brown sobre a política do Império Britânico. O almirante já dormira uma boa soneca e agora, sentado na rede, ia bebendo o uísque mandado vir da venda do Elias Turco. Era falsificado. Mesmo assim o velho inglês o bebia, embora com caretas a cada gole.

– Pois é isso, minha senhora. Cá estou feito capão de pintos, a atravessar os mares com o meu exército de crianças. A trabalheira que me deram na viagem! Até suo só de lembrar-me disso...

– E por falar, almirante, como há de ser para enchermos tantas barriguinhas? O mantimento que há aqui no sítio não dá para a décima parte.

O velho inglês sorriu.

– Não se incomode, minha senhora. Providenciei sobre tudo. Dentro em pouco chegarão os meus marinheiros com um grande carregamento de comedorias. Poderá a senhora ter a bondade de levar-me ao pomar? Preciso ver o anjinho. Mas aqui entre nós: é mesmo um anjinho do céu ou trata-se de alguma reinação dos seus netos, um simples anjo de procissão?

– É dos legítimos, almirante, posso garantir e o senhor o verificará com os seus próprios olhos. Por mais prodigioso que isto seja, não passa da mais pura realidade. Ah, almirante, vossa honra não imagina o que acontece neste sítio! Só vendo. Tanta e tanta coisa, que hoje, como já disse a vossa honra, não me admiro de mais nada. Se o Sol aparecer ali na porteira e me disser: "Boa tarde, Dona Benta!" – eu o recebo como se fosse o Compadre Teodorico. "Entre, senhor Sol. A casa é sua." Positivamente não me admiro de mais nada, nada, nada...

Os dois velhos saíram de braços dados para a visita ao anjinho. Foi difícil abrir passagem no bolo de crianças apinhadas em redor dele. Ao ver o anjinho, lindo, lindo de não poder mais, o almirante Brown arregalou os olhos e puxou os óculos. Examinou o anjinho atentamente, sempre desconfiado de algum embuste; apalpou o encontro das asas para ver se não eram asas de anjo de procissão.

Emília advertiu-o:

– Não pegue com muita força que quebra. Ele é um vidro.

O almirante sacudia a cabeça, pensativo.

– É extraordinário, não há dúvida! Tenho 70 anos e jamais me defrontei com um prodígio assim. Quando chegar a Londres e der ao rei o meu testemunho, é bem possível que sua majestade se assanhe e queira vir também, queira vir ver com os seus reais olhos este assombroso prodígio...

– Ótimo! – exclamou Dona Benta. – Que venha, que venha sem a menor cerimônia. A única pessoa que ainda não apareceu por aqui foi um rei de verdade. Reis da fábula e dos países maravilhosos, desses que usam coroinhas de ouro, temo-los tido aos montes.

O almirante não cessava de assombrar-se.

– Que coisa extraordinária! Um anjinho caído do céu...

– Caído não, almirante – corrigiu Emília. – Trazido. Quem o trouxe fui eu.

– Quem é esta estranha senhorita? – indagou o almirante, pondo os olhos na boneca.

– Pois é a Emília, não vê? – disse Dona Benta. – De fato foi ela quem trouxe o anjinho lá da Via Láctea, onde o "caçou", como costuma dizer.

– Ahn! A Emília, sim, a senhora Marquesa de Rabicó! – disse o almirante recordando-se. – Sei, sei. Sua majestade a rainha viúva já me falou das proezas desta famosa criaturinha, mostrando até muito desejo de conhecê-la pessoalmente.

– Foi pena eu não ter sabido disso antes – volveu Dona Benta. – Já estivemos em Londres, na nossa viagem em torno do mundo para estudar geografia[3]. Se eu soubesse do desejo da rainha, teria feito uma visita a sua majestade para a apresentação da Emília...

Depois de bem visto o anjinho, e de uma prosa com ele, o almirante afastou-se, sempre de braço dado a Dona Benta. Foram dar uma volta pelo sítio.

– Estou achando tudo por aqui muito poético – disse o inglês correndo os olhos pelas árvores. – Que lindo este imenso tapete amarelo com que a senhora forrou o pomar!...

Dona Benta riu-se. O almirante tinha a vista ainda mais fraca que a dela, de modo que tomou o chão forrado de cascas de laranja por um imenso tapete amarelo.

Nisto uma vaca mugiu.

– É a Mocha – explicou Dona Benta –, uma vaca excelente que temos aqui há já muitos anos.

– Meu pai foi criador de vacas Jérsei – disse o almirante – e eu ainda conservo algumas da sua criação. Quando voltar à Inglaterra hei de mandar para aqui uma de presente. Leiteiras melhores não existem.

– Pois ficarei imensamente agradecida – respondeu Dona Benta. – A pobre da Mocha está bastante velha. Mal dá o leite necessário ao consumo da casa.

No estábulo a Mocha teve a honra de ser apresentada ao almirante Brown, o qual foi saudado por um *Mu!* especial, em português, visto que a pobre vaca não sabia uma só palavra de inglês, nem *yes*. O almirante gabou os seus enormes olhos cheios de bondade.

– Vê-se que é uma vaca de muito bons senti-mentos mas pouco leite – disse o velho ma-rujo. – Quantos litros dá?

– Não chega a três – respondeu Dona Benta. O filho do criador de vacas Jérsei riu-se.

– As de meu pai davam dez vezes isso. – Dona Benta arregalou os olhos.

– Ah! Eu aqui com uma assim até montava uma fábrica de queijo...

– Há de tê-la, minha senhora. Há de tê-la.

Nisto um zurro muito discreto soou.

– Quem é? – quis saber o almirante.

– É o Conselheiro, o nosso Burro Falante – explicou Dona Benta. – Nele é que os meninos foram para o céu.

O almirante Brown sorriu, pensando lá consigo: "Pobre ve-lha! Visivelmente está caduca". Mas quando foi apresentado ao Burro Falante e este murmurou, na sua voz grave de burro da fábula: "Tenho muita honra em conhecer vossa senhoria" – o almirante quase caiu para trás. Teve de segurar-se no

rabo que o burro lhe estendeu.

– É espantoso, minha senhora! Está aqui um fenômeno que se eu contar ao rei Eduardo ele julgará que é caduquice minha. Um burro falante! Isto positivamente me deixa com as ideias atrapalhadas...

Dona Benta gozou o atrapalhamento do inglês.

– Foi o que me sucedeu no começo, almirante. Fiquei também atrapalhada, sem saber o que pensar. Depois fui me acostumando. Hoje acho tão natural que esse burro fale, como acho natural que uma laranjeira produza laranjas. Todas as tardes chego até aqui para dois dedos de prosa. Além de falante, o nosso Conselheiro é um puro filósofo.

– De que escola?

– Um filósofo estoico. Costumo ler-lhe trechos das *Meditações* de Marco Aurélio. Os comentários que ele faz mereciam ser escritos e publicados.

O almirante não conseguia voltar-se do assombro.

– Mas... mas, Dona Benta, a senhora já refletiu que isto é um fenômeno que contradiz tudo quanto a ciência estabeleceu a respeito da fala e da inteligência dos animais?

– Refleti, sim. Eu sei o que tenho em casa, senhor almirante.

Um tropel e uma algazarra interromperam o diálogo. Pedrinho e Peter Pan vinham correndo para ali, acompanhados de mais de cem crianças.

– O burro que fala! O burro que fala! – gritavam todas. – Vamos conversar com o burro que fala!...

Chegaram. Em torno do excelente animal formou-se uma roda enorme. Todos falavam ao mesmo tempo, perguntando mil coisas ao pobre Conselheiro, que se via tonto para atender a tantos clientes.

Dona Benta e o almirante deixaram-nos naquele divertimento que não existia na Inglaterra e recolheram-se à salinha. Estavam lá, ainda comentando o prodigioso caso do Burro Falante, quando Tia Nastácia veio dizer que um grupo de marinheiros se aproximava. O almirante sorriu.

– São as comedorias que vêm vindo – disse ele – e não é sem tempo. Com o aperitivo das laranjas que chuparam, as crianças devem estar tinindo de fome.

E assim era. Mal avistaram os marinheiros do almoço, uma gritaria atroadora encheu os ares.

– O lanche! O lanche!...

Abandonaram o anjinho, o Burro Falante e as árvores em que estavam repimpadas para só cuidarem dos estômagos.

Que suculento lanche foi aquele! Bem se via andar ali o dedo do rei da Inglaterra. Sanduíches de todas as qualidades, queijos, geleias de frutas, maçãs e peras, cremes e pãezinhos em quantidades enormes.

Tia Nastácia veio espiar. Aquela abundância encantou-a.

– Ora graças! – murmurou a velha preta. – Se não chegasse esse reforço, isto por aqui ficava como fazenda por onde passou nuvem de gafanhotos. Nem a casca das árvores se salvaria... Credo!

ONDE APARECE UM FAMOSO MARINHEIRO

Pedrinho insinuou-se entre os marujos. Pela primeira vez via os famosos *mariners* da maior esquadra do mundo. Vermelhaços, louros e ruivos, com calças de boca-de-sino. E que caras havia entre eles! De puros lobos-do-mar. Em dado momento, porém, Pedrinho empalideceu. Um dos marujos o impressionara profundamente.

Saiu dali e correu em procura de Peter Pan, que estava atracado com um sanduíche de presunto de Iorque.

– Tenho uma coisa muito séria a dizer – murmurou-lhe Pedrinho a meia-voz. – Engula isso depressa e apareça lá no pomar – e foi esperá-lo debaixo da pitangueira.

Peter Pan não tardou.

– Que há? – indagou, engolindo o último bocado do sanduíche.

– Há que descobri uma coisa muito séria: o Capitão Gancho está entre os marinheiros que vieram trazer o almoço. Reconheci-o perfeitamente.

Peter Pan empalideceu.

– Não pode ser, Pedrinho! Naquela batalha no navio dos corsários bati-me a espada com esse monstro, e o fui apertando de golpes e mais golpes, e ele recuando, recuando até que – *tchibum!* – caiu n'água, bem dentro da goela do crocodilo. Foi assim que o Capitão Gancho morreu.

– Morreu, nada! Essa gente não morre. Com certeza comeu o crocodilo, em vez de o crocodilo comer a ele. E a prova é que o vi no meio dos lobos-do-mar que vieram com o lanche. Vi-o com estes meus olhos, Peter! Cheguei pertinho, cheirei. Ele mesmo, com a mão de gancho calçada numa luva e aquele fedor de pirata...

Peter Pan permaneceu uns instantes pensativo.

– E que quererá por aqui?

– Certamente que anda atrás de você – sugeriu Pedrinho.

– Impossível! Ninguém sabia que eu vinha. Nada contei a ninguém – nem a Wendy. Resolvi embarcar no momento de o navio sair. Basta dizer que fui a última pessoa que se meteu a bordo. Não, Pedrinho. Não foi por minha causa que o Capitão Gancho veio. Foi por causa do anjinho, juro!...

– Mas que há de querer com o anjinho?

– É boa! Raptá-lo. Você não calcula que negócio é um anjinho desses nas unhas de um explorador. Já não digo para trabalhar em circo, mas no cinema, Pedrinho! No cinema! Em Hollywood! Para entrar nas fitas das Diones, da Shirley, do Jack Cooper! Coisa de render milhões. Nunca houve no mundo uma estrelinha anjo.

– Realmente – murmurou Pedrinho. – Até eu já havia pensado nisso...

– Pois juro, Pedrinho, que o Capitão Gancho veio com essa ideia na cabeça, e também juro que já está de plano formado para furtar o anjinho.

– Acha bom prevenirmos o almirante?

– Nada disso. Eu não dou importância a gente grande. Costumo resolver todas as dificuldades por mim mesmo, com a meninada. Escute. Existem armas por aqui? Espadas, lanças, pistolas?

Pedrinho suspirou.

– Ah, Peter Pan! Se você soubesse que boba e medrosa é a vovó... Tem medo de tudo, até das baratas. Não pode ver um revólver. Faca, só admite essas de mesa, de ponta redonda. Em matéria de armas só tenho uma espingardinha de cano de guarda-chuva que eu mesmo fiz, e o meu velho bodoque...

Peter Pan sorriu com superioridade.

– Pois lá na Terra do Nunca temos um verdadeiro arsenal. Depois de bater o Capitão Gancho, fiquei com todas as armas dos corsários. Até um canhãozinho do navio pirata eu levei para a Terra do Nunca.

– Levou um canhão!?...

– Só não levei os grandes por serem muito pesados e consumirem muita pólvora. Você não imagina, Pedrinho, como canhão grande come pólvora! Mas espadas, pistolas, espingardas, lanças, machados e punhais, isso levamos tudo. Lembra-se daqueles lobos que nos rondavam por lá? Pois caímos de tiros neles. Não ficou um! Os que não morreram, fugiram com cem pernas, apavoradíssimos! Nossa caverna lá na Terra do Nunca está hoje como a fortaleza do Gibraltar: inexpugnável!

Pedrinho fremiu de entusiasmo; depois suspirou, pensando com raiva do pacifismo de Dona Benta.

– Que pena! – exclamou. – Se vovó deixasse, poderíamos também fazer disto aqui uma fortaleza inexpugnável. Está vendo aquele cupim lá no pasto? Tem um oco ótimo para ninho de metralhadora.

– Também pelo alto destas árvores é possível esconderem-se muitos atiradores – observou Peter Pan correndo os olhos pelo pomar. – Você, não sei, mas eu sou capaz de transformar isto aqui numa tremenda fortaleza. Olhe: daquele lado corro uma linha dupla de trincheiras. À esquerda e à direita abro fossos intransponíveis...

– Com uma ponte levadiça! – ajuntou Pedrinho, entusiasmado.

– Isso só em castelo – volveu Peter Pan em tom de desprezo ante os conhecimentos militares de Pedrinho.

Nesse instante um vulto atraiu-lhes a atenção – um marinheiro que caminhava disfarçadamente, repetidas vezes olhando para trás.

– Ele! – cochichou Pedrinho.

Peter Pan, velho conhecedor do Capitão Gancho, concordou.

– Tem razão, Pedrinho. É elíssimo mesmo! Só que enfiou a mão de gancho naquela luva para disfarçar-se. Onde está o anjinho?

– No oco da figueira grande, lá onde o escondemos quando a criançada apareceu. Depois que os marinheiros do almoço chegaram, dei ordem à Emília para que o guardasse no oco novamente.

– Onde é a figueira?

– Aquela grandona, lá. É oca por dentro, como as árvores da Terra do Nunca.

Os dois meninos ocultaram-se atrás da pitangueira para melhor seguirem os movimentos do ladrão. O infame corsário, sempre na ponta dos pés, olhava em todas as direções, farejando qualquer coisa.

– Parece que é pelo faro que esses monstros se guiam – observou Peter Pan.

– Mas com o anjinho não arranja nada, ele é totalmente inodoro.

– Que quer dizer isso?

– Inodoro quer dizer sem cheiro nenhum, como a água. A água é incolor, inodora e insípida.

– Mas é capaz de descobri-lo por indução – sugeriu Peter Pan. Foi a vez de Pedrinho perguntar o que era indução.

– É uma espécie de adivinhação lógica – disse Peter Pan. – Juro que assim que o Capitão Gancho enxergar a figueira pensará em oco, porque quase todas as figueiras velhas têm ocos; e pensando em oco, pensará no anjinho escondido lá dentro. Isso é que é indução.

E foi o que se deu. Mal o corsário enxergou a figueira, induziu logo e pôs-se a caminhar na direção dela.

Nisto apareceu, inesperadamente, um segundo vulto.

– Olhe!... Vem vindo outro. A coisa se complica...

Pedrinho não tardou a reconhecê-lo.

– Popeye! O marinheiro Popeye, Peter!...

Peter Pan não conhecia esse figurão.

– Quem é ele? – perguntou.

– Um homenzinho terrível, Peter. Não há no mundo quem o vença. Derrota tudo. Será que é cúmplice do Capitão?

Não era. A conversa entre Popeye e o corsário ia mostrar que não era. Os meninos ouviram tudo perfeitamente.

– Viva, senhor Popeye! – exclamou o Capitão Gancho. – Que é que o traz por aqui?

– O mesmo que traz a você, Capitão – respondeu Popeye na sua voz rouquíssima.

– Acho que podemos nos entender e nos ajudar mutuamente – tornou Gancho. – Vou contar tudo. Vim entre os marinheiros do almirante Brown com a ideia de levar o anjinho para Londres. Renderá bom dinheiro num circo.

Popeye sorriu.

– Pois saiba que tive a mesma ideia e vim dos Estados Unidos para levá-lo a Hollywood. No cinema esse anjo dará mais sorte do que em todos os circos do universo. Não podemos, pois, nos entender, senhor Capitão Gancho.

– Com 600 milhões de colubrinas! – urrou o corsário. – Sei que você é valente, mas não tenho medo de caretas. Vim para levar o anjinho e hei de levá-lo.

Popeye não respondeu. Limitou-se a rir e soltar uma baforada do seu famoso cachimbo de apito – *pu! pu!*

Ofendido por aquele desprezo, o Capitão Gancho foi descalçando a luva. O horrendo gancho de ferro apareceu, de ponta afiadíssima.

Os dois meninos, atrás da pitangueira, começaram a sentir-se eletrizados. Peter Pan teve dó de Popeye, achou que estava ali, estava escalavrado para o resto da vida. Pedrinho, entretanto, apostou em Popeye.

A luta rompeu. Os dois marinheiros atracaram-se com a maior fúria. Eram golpes e mais golpes, um em cima do outro. Um soco de Popeye na queixada de Gancho o fez bambear, como bêbedo; forte, porém, que era o pirata, logo se firmou nas pernas e avançou, desferindo uma ganchada contra o ombro de Popeye. O que a este valeu foi a agilidade. No momento em que o gancho vinha descendo, Popeye quebrou o corpo. Mesmo assim foi riscado de leve. E a luta prosseguia cada vez mais feroz, com rasteiras, munhecaços, pontapés na barriga. Durante minutos, nenhum levou vantagem. Os dois contendores equivaliam-se em força.

– Esse Popeye não é homem para medir-se com o Capitão Gancho. Acabará cansado e apanhando – murmurou Peter Pan ao ouvido de Pedrinho.

– É que Popeye ainda não engoliu o espinafre – explicou Pedrinho, deixando Peter Pan na mesma.

Outra ganchada do corsário riscou o ombro do marinheiro. Popeye, então, enfureceu-se, afastando-se dez passos, sacou do bolso a lata de espinafre, cujo conteúdo engoliu a meio.

– Agora você vai ver! – cochichou Pedrinho.

E Peter Pan viu. Viu Popeye avançar contra o corsário numa fúria louca, com os músculos dos braços crescidos como bolas. Ao primeiro soco dado nas fuças do Capitão, este cambaleou e foi estatelar-se no chão a 8 metros de distância.

– Está vendo o que é murro? – murmurou Pedrinho entusiasmado.

Mas o Capitão Gancho levantou-se e investiu mais uma vez. Coitado! Levou tal roda de murros, que ficou como paçoca que sai do pilão. Popeye amassou-o. Mas amassou mesmo, como quem amassa pão. Amassou-o de tal modo que o deixou transformado em pasta de gente.

Peter Pan arregalava os olhos, no maior dos assombros.

– Irra! – exclamou. – Tenho visto cabras valentes, mas como este senhor Popeye, nunca! Cada soco parece pancada de martelo-pilão...

– Ah, Popeye é assim – disse Pedrinho. – Sem espinafre, não vale nada, apanha de qualquer punga. Mas quando engole uma dose de espinafre, ah, não existe no mundo quem possa com ele!

O barulho da luta atraíra a atenção da criançada e do almirante. Vieram todos correndo.

– Que foi? Que foi?

Pedrinho contou o que se havia passado.

– Bandidos! – exclamou o almirante Brown. – Esses dois marinheiros vieram sem ser convidados. Não figuram na minha lista. Vou pô-los a ferros nos porões do *Wonderland*.

– Pô-los é modo de dizer – advertiu Pedrinho. – Só existe um. O outro já virou pasta de gente. O que há a fazer é enterrá-lo, bem fundo.

O almirante aproximou-se do marinheiro caído e examinou-o. Viu que de fato era assim. Em seguida voltou-se para Popeye.

– E vosmecê, senhor Popeye! Estou reconhecendo-o muito bem. Que história é esta? Como se meteu na tripulação do *Wonderland* sem ter sido engajado?

Popeye, que estava bêbedo como uma cabra, riu-se.

– Ah, ah, ah! – e atirou umas baforadas do cachimbo antes de responder. Cada baforada era um apitinho: *pu! pu!* E na sua voz rouquíssima disse: – *I am a sailor man*.

– Sei disso! – berrou o almirante. – E sei também que vai passar

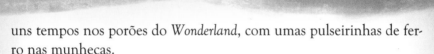

uns tempos nos porões do *Wonderland*, com umas pulseirinhas de ferro nas munhecas.

O ultrabêbedo Popeye respondeu com mais três apitos de barofadas e um – Ah, ah, ah! – rouquíssimo.

Indignado com o desrespeito, o almirante Brown gritou para os marujos:

– Todos aqui! Agarrem-me este bêbedo e metam-no a ferros!

Popeye continuava impassível. Fez mais um – *pu! pu!* – e caiu em guarda.

A luta entre Popeye e os marinheiros do *Wonderland* foi dessas coisas que só gênios do tamanho de Shakespeare e Dante se atrevem a descrever – e mesmo assim descrevem mal. Nunca houve tanta pancada no mundo. Se fôssemos juntar toda a imensa pancadaria que há no *Dom Quixote de La Mancha* e com ela formássemos um monte, esse monte ficaria pequeno diante da pancadaria que houve no pomar de Dona Benta. O espinafre ingerido pelo *sailor man* era do bom, de modo que se tornaria impossível vencê-lo. Um a um os marujos do *Wonderland* iam sendo postos fora de combate. Quando caiu o último, Popeye deu uma risada grossa e fez – *pu! pu! pu! pu!*...

O almirante, que esperava tudo menos quatro *pus*, ficou seriamente atrapalhado. Toda a sua marinhagem estava caída e ele, sozinho. Se Popeye tivesse a ideia de esmoê-lo, seria uma desgraça completa, e também uma enorme afronta para o almirantado britânico. Que fazer?

O almirante foi aconselhar-se com Dona Benta.

- Minha senhora - disse ele -, o desenlace desta luta me deixou completamente desarvorado. Positivamente não sei como agir...

Tia Nastácia apareceu nesse momento para perguntar se fazia bolinhos ou rebentava pipocas.

- A situação é muito séria, Nastácia - respondeu Dona Benta. - Venha perguntar isso mais tarde, depois de resolvido este horrível incidente.

- Vamos, minha senhora! - insistia o almirante. - Que acha que devo fazer?

Dona Benta, completamente tonta, mostrou-se incapaz de uma sugestão. Nisto apareceu Emília, muito lampeirinha.

- Eu sei um jeito de arrumar tudo - disse ela -, e de acabar de uma vez para sempre com a prosa desse Popeye...

O almirante, apesar da horrível situação em que se encontrava, não pôde deixar de rir-se.

- Não se ria, almirante - tornou Dona Benta. - Vossa honra não conhece a Emília. Tem feito tanta coisa que não me admirarei se der uma boa sova no Popeye.

- Que absurdo, minha senhora! - exclamou o almirante. - Apesar do muito respeito que a senhora me merece acho que está a abusar de mim. Essas suas palavras ofendem-me, ofendem o almirantado britâ-nico, ofendem sua majestade o rei Eduardo VII...

Para acalmá-lo Dona Benta contou diversos episódios em que as coisas ficaram em situação de verdadeiro fim de mundo e afinal tudo se resolveu com uma inesperada saidinha da Emília. O almirante, po-rém, não quis saber de nada. Emburrou, ofendidíssimo com a hipó-tese de que uma simples boneca de pano pudesse conseguir o que os seus valentes lobos-do-mar não tinham conseguido.

Emília fungou e disse:

- Deixe tudo por minha conta, Dona Benta. Juro que dou uma arrumação ótima. Enquanto isso a senhora vá despejando pinga dentro desse bife malpassado - concluiu ela, olhando com desprezo para o almirante.

- Emília! - gritou Dona Benta. - Mais respeito para com os mais velhos. - Mas Emília não quis saber de nada. Botou meio palmo de língua para o almirante e lá se foi pisando duro.

Dona Benta suspirou.

EMÍLIA DESCOBRE O SEGREDO DE POPEYE

Emília foi à cozinha pedir a Tia Nastácia que pusesse uma porção de folhas de couve no pilão e amassasse tudo muito bem, fazendo uma pasta. Nastácia perguntou para quê.

– Não é da sua conta – respondeu a diabinha.

Tia Nastácia também suspirou. Mas fez a pasta de couve pedida, com a qual a boneca encheu uma latinha. Embrulhou-a num jornal e, muito segura de si, foi ter com Popeye.

– Eu sei do seu segredo, senhor Popeye – disse ela inocentemente. – Chama-se: es-pi-na-fre. Sem espinafre o senhor vale tanto como um homem qualquer.

Popeye fez – *pu! pu!*

– Mas eu também sei – continuou Emília – que o seu espinafre só faz efeito por quinze minutos. Passados quinze minutos o senhor está bambo outra vez.

Popeye riu-se grosso, rosnando:

– Dobre os quinze minutos e terá acertado. *Pu! pu!*

Emília afastou-se. Era justamente aquilo o que ela desejava saber: quanto tempo durava nos músculos do marinheiro o efeito do espinafre. Correu a conferenciar com Pedrinho.

– Escute, Pedrinho. O segredo de Popeye é o espinafre, mas o efeito do espinafre só dura meia hora, diz ele. Como já se passaram vinte minutos desde que engoliu a dose, isso quer dizer que daqui a dez minutos ele pode ser atacado.

– Mas Popeye não engoliu a lata inteira, vi muito bem – observou o menino. – Só metade. Escondeu o resto no oco da figueira. É por isso que não se arreda de lá.

Assim que for preciso, engole o resto da lata e fica outra vez dono do mundo por mais meia hora.

– Sei disso – murmurou Emília –, mas vou tomar as minhas providências. Garanto que daqui a dez minutos Popeye poderá ser atacado sem perigo nenhum.

– Atacado por quem? – gritou Pedrinho.

– Homessa! Por você e Peter Pan.

– Deus me livre! – exclamou o menino. – Seria a maior das loucuras. Ele, que moeu o Capitão Gancho e todos os marinheiros do *Wonderland*, também me moerá enquanto o diabo esfrega um olho. Que ideia!...

Emília agarrou Pedrinho, fê-lo abaixar-se e cochichou-lhe qualquer coisa ao ouvido. A cara do menino expandiu-se.

– Ahn! – exclamou. – Se é assim, então já não está aqui quem falou. Tudo muda de figura. Que ideia excelente, Emília! A melhor ideia que você teve em toda a sua vida...

E ganhando coragem:

– Pois está combinado. Eu e Peter Pan atacaremos Popeye daqui a dez minutos.

Disse e foi comunicar a sua resolução a Dona Benta e ao almirante. Os dois velhos ficaram assombradíssimos.

– Que loucura, meu filho! – exclamou a boa senhora. – Nem pense nisso. Proíbo-o de pensar nisso.

– Realmente – acrescentou o almirante – o que este menino propõe não passa de um desvario de criança. Que absurdo! Atacar um monstro de força, que acaba de destruir com a maior facilidade todo um pelotão de vigorosíssimos lobos-do-mar...

Pedrinho cochichou no ouvido de Dona Benta o mesmo que Emília cochichara no seu. A velha arregalou os olhos, com expressão de surpresa e alegria.

– Bom. Se é assim, então tudo muda de figura. A ideia é excelente...

Quem ficou bobo de uma vez ante aquela súbita mudança de opinião foi o almirante, e como ninguém lhe cochichasse nada aos ouvidos bobo ficou e bobo continuou.

– Não estou entendendo nada de tudo isto, minha senhora – disse ele.

– Entenderá daqui a pouco, senhor almirante – respondeu Dona Benta piscando o olho.

E gritou para a cozinha:

– Nastácia, pode vir saber se o almirante prefere pipocas ou bolinhos...

A COUVE DA EMÍLIA E O ESPINAFRE DE POPEYE. PEDRINHO E PETER PAN PREPARAM-SE PARA A LUTA

Popeye estava encostado ao tronco da figueira, de modo a fechar com o corpanzil a abertura do oco. Isso atrapalhava Emília, cujo plano era entrar na árvore para dizer qualquer coisa ao anjinho. Vendo que pela frente não podia entrar, pensou em outra porta. O tal oco tinha duas aberturas: aquela embaixo e outra em cima, na forquilha dos primeiros galhos – ou a "chaminé", como os meninos diziam. Essa chaminé ligava o bojo do oco à forquilha e, embora fosse estreita, dava perfeitamente passagem a um corpinho seco e miúdo como o da boneca.

Mas para subir à figueira era preciso empregar a astúcia e Emília empregou a astúcia. Foi conversar com Popeye.

– Senhor Popeye – disse ela com o arzinho de santa que sabia fazer nas ocasiões graves –, sabe que esta figueira dá uns figuinhos muito gostosos? Os sanhaços e morcegos regalam-se...

O marinheiro olhou para cima e viu que realmente a figueira estava coberta de pequeninos figos.

– *Pu! pu!* – fez ele com o cachimbo.

Emília continuou:

– Se o senhor me ajudar a subir lá em cima, posso colher uma quantidade, metade para mim, metade para o senhor...

O marinheiro sentiu água na boca, pois gostava muito de figos. Respondeu com um *pu! pu!*, que queria dizer sim, e ajudou Emília a trepar à árvore. Logo que se pilhou lá em cima, a espertíssima boneca tratou de procurar a abertura da "chaminé". Instantes depois estava no bojo do oco, falando com o anjinho.

– Nem queira saber, anjinho, o turumbamba que vai lá por fora, tudo por sua causa! Popeye e os marinheiros do navio se pegaram à

unha, e Popeye venceu. Escangalhou com todos eles. O almirante está coçando a cabeça. Não sabe como agir. O plano de Popeye é furtar você daqui. Quer transformar você em estrelinha de cinema, lá em Hollywood.

– Fazer de mim estrelinha? – repetiu a mimosa criatura, com cara de surpresa. – Esse Hollywood é algum céu?

– Não, burrinho! É a cidade do cinema. As estrelas e estrelinhas de lá são de carne e osso, como nós. Mas depois eu explico isto. Agora não há tempo. Vim só para uma coisa. Está vendo esta lata? – e mostrou-lhe a lata de couve moída que trouxera embrulhada num jornal.

– Pois é. Você vai pegar esta lata e trocá-la por aquela que o marinheiro Popeye guardou na beira do oco. Só isso. Mas tem de o fazer com muito jeito, de modo que Popeye não perceba coisa nenhuma, está entendendo?

O anjinho não estava entendendo nada, o que o não impediu de executar fielmente a ordem de Emília. Pegou a lata de couve, encaminhou-se na ponta dos pés para a abertura do oco e, depois de espiar se o marinheiro estava olhando, fez a troca na perfeição. Nem uma formiguinha que andava por ali percebeu a mudança.

– Ótimo! – exclamou Emília quando o viu voltar com a lata de espinafre. – Agora você continua aqui muito quietinho e sem receio de coisa nenhuma. Juro que tudo acabará bem.

– Mas estou com muito medo daquele rato de asa dependurado ali – disse ele apontando com o dedinho para o teto do oco.

– Um simples morcego – explicou Emília. – Feio só. Não morde anjo. Vive de comer os figuinhos desta figueira. Não se impressione. Só não fique debaixo dele porque os tais morcegos comem os figuinhos e às vezes os descomem em cima da cabeça da gente...

Feita esta recomendação, Emília esgueirou-se pela chaminé acima. Saiu na forquilha. Caminhou engatinhando por um dos galhos, até alcançar o ramo mais próximo de Popeye, o qual estava de cabeça erguida e boca aberta, procurando enxergar a bonequinha.

– Estou aqui! – disse ela mostrando-se. – Apara-me nos braços.

Popeye estendeu os braços peludos. Sem medo nenhum Emília deu um pulo – *upa!*

– E os figos? – perguntou o marinheiro assim que a depôs em terra.

– Verdes, meu caro. Não achei um só maduro. Os morcegos não deixam. Assim que vão amadurecendo, eles – *nhoque!*

Popeye desapontou e Emília foi correndo conferenciar com Pedrinho e Peter Pan.

– Pronto! – gritou ela ao chegar. – Aqui têm vocês a lata de espinafre do Popeye. Troquei-a por uma igual de couve moída. Quem vai agora engolir o espinafre maravilhoso não é ele, são vocês. Popeye só engolirá couve moída, e com aquela couve no papo ficará bambo como geleia. Que horas são? Vejam se os dez minutos já se passaram.

Pedrinho correu à sala de jantar. Viu no relógio da parede que só faltavam três minutos para completar os dez. Voltou correndo.

– Faltam só três minutos – disse ele.

– Muito bem – exclamou Emília. – Vocês podem ir engolindo o espinafre – metade cada um.

Pedrinho tomou a lata e engoliu metade, fazendo uma careta. Peter Pan engoliu o resto, fazendo outra careta.

– Pode ser excelente para dar força – disse ele –, mas gostoso não é...

Alice, que andava em procura de Emília, apareceu nesse momento.

– Arre que a achei! – exclamou.

– Que há de novo? – quis saber Emília.

– Há que a criançada está num verdadeiro pavor, falando em fugir do sítio e outras coisas assim. Tenho feito tudo para sossegá-las, mas não consigo.

– Isso de criançada inglesa é lá com o almirante Refém Brown. Ele que as trouxe, ele que se arrume.

– Já falei com o almirante – tornou Alice –, mas não valeu de nada. O pobre velho está completamente bobo. Não sabe o que fazer. Tenho até medo que de repente caia morto de congestão cerebral.

– Não morre, não – gritou Emília. – Daqui a minutos o problema estará completamente resolvido por nós e você vai ver a cara de riso do almirante.

– Minutos? – repetiu Alice, sem nada compreender.

– Minutos, sim, menina. Nós vamos dar um pega tremendo no tal Popeye.

Alice cada vez compreendia menos.

– Pega tremendo? Será que Dona Benta mandou vir algum exército com canhões para atacá-lo? Não estou entendendo esse seu "nós vamos", Emília...

– Pois nós somos nós, eu, Pedrinho e Peter Pan. Vamos dar cabo da prosa do Popeye, nós três. É isso.

Alice julgou que fosse brincadeira.

– Como? – perguntou.

– Comendo – respondeu Emília. – Comendo espinafre aqui e couve moída lá. Ah, ah, ah!... – E vendo a cara de boba de Alice:

– Não pense mais nisto, minha cara. É ponto liquidado. Vamos à cozinha ver o que há de bom. Tia Nastácia já deve ter uns bolinhos prontos – e, agarrando-a pela mão, levou-a à cozinha.

Nastácia estava de fato fritando bolos. Emília fez a apresentação.

– Esta aqui, Tia Nastácia, é a famosa Alice do País das Maravilhas e também do País do Espelho, lembra-se?

– Muito boas tardes, senhora Nastácia! – murmurou Alice cumprimentando de cabeça.

– Ué! – exclamou a preta. – A inglesinha então fala nossa língua?

– Alice já foi traduzida em português – explicou Emília. – E voltando-se para a menina: – Gosta de bolinhos?

Nastácia apresentou-lhe um na ponta do garfo.

– Prove, menina bonita.

Alice devorou o bolinho, arregalando os olhos – e pediu a receita. Nastácia riu-se.

– Receita, dou; mas a questão não está na receita, está no jeitinho de fazer. Outro dia esteve cá a sogra do nhô Teodoro e também quis a receita. Dei. Sabe o que aconteceu? Ela fez o bolinho pela receita e saiu uma borracha. Ninguém pôde comer. Ah, ah, ah! Isto de cozinhar, menina, tem seus segredos. Só mesmo para uma criatura como eu que nasci no fogão e no fogão hei de morrer...

A GRANDE LUTA. PEDRINHO E PETER PAN BATEM POPEYE. PALAVRAS DO ALMIRANTE PARA EMÍLIA

Passados três minutos, Emília voltou para onde estavam Pedrinho e Peter Pan.

– Pronto! – disse ela. – De agora em diante vocês podem atacar o monstro. Já se passou a meia hora. Acabou o efeito do espinafre que Popeye engoliu.

– E nós já estamos sentindo o efeito do que engolimos –, disse Peter Pan, e para o provar pegou uma ferradura que estava no chão e partiu-a pelo meio, rindo.

Entraram a combinar o plano de ataque.

– Eu avanço – disse Pedrinho – e desafio Popeye. Ele ri-se. Chupa o cachimbo e faz – *pu! pu!* – E nem pensa no espinafre, vendo que somos dois crilas. Vou eu então e assento-lhe um pé-de-ouvido. Você do outro lado assenta-lhe um pontapé. Popeye, então, percebendo que somos crilas especiais, volta-se para a lata de espinafre e engole a couve moída. E fica mais bambo ainda. E vou eu e...

Assim combinado o ataque, os dois meninos encaminharam-se na direção da figueira, seguidos da Emília. Enquanto isso, lá na saleta Dona Benta caçoava com o almirante.

– Tome este cafezinho – dizia ela, apresentando-lhe uma xícara. – Nada melhor do que o café para estimular os nervos e levantar o moral.

Mas o abatimento do almirante era enorme. Estava a pensar nas suas tremendas responsabilidades. Que conta iria dar ao rei? Fora escolhido como o homem de mais confiança de sua majestade. Graças a isso os pais de toda aquela criançada lhe entregaram os filhos. Ora, se acontecesse uma desgraça, se Popeye na sua bebedeira investisse contra as crianças e as machucasse, que contas daria ele ao rei e aos pais?

– Minha senhora – disse o pobre almirante –, acho bom telegrafarmos ao governo brasileiro pedindo a remessa imediata de tropas. Só com um batalhão bem servido de metralhadoras poderemos dar cabo desse monstro.

Dona Benta ria-se.

– Não é preciso tanta coisa, almirante! Vossa honra não conhece o engenho de meus netos. Não há o que eles não consigam. Pois se até ao céu já foram!...

– Sei disso – respondeu o almirante. – Mas a viagem ao céu foi feita graças ao tal pó de pirlimpimpim, e a senhora mesma me disse que já o gastaram todo. Se ainda houvesse algum restinho poderia ser que...

– Eles hão de arrumar-se, almirante. Mesmo sem o pó maravilhoso hão de dar um jeitinho.

O almirante não podia compreender a calma da velha.

– Jeitinho! Jeitinho! – exclamou. – Há dez minutos que a senhora está a falar nisso. Que jeitinho? Como pode haver jeitinhos contra o colosso que acaba de destroçar os melhores homens do *Wonderland*?

Dona Benta ria-se, ria-se.

– Tome o seu café sossegado, almirante, e deixe tudo por conta da criançada. O senhor não conhece meus netos...

O almirante suspirou e assoprou.

Lá no pomar Pedrinho e Peter Pan pararam diante de Popeye.

– Amigo Popeye – começou Pedrinho –, sabemos que você é o rei dos valentes e que tem corrido mundo a escangalhar quantos inimigos aparecem. Hoje mesmo praticou uma grande façanha com o amassamento do Capitão Gancho e dos marinheiros do *Wonderland*. Foi uma aventura magnífica, não resta dúvida. Mas agora vai medir-se conosco. Prepare-se.

Popeye olhou bem para os dois crilas e nem sequer se dignou a responder. Chupou só o cachimbo – *pu! pu!*...

– Faça *pu! pu!* quanto quiser – disse Peter Pan –, porque esses *pu-pus* serão os últimos. A sova que vamos dar em você há de ser escrita em livros.

Popeye fez mais dois *pu-pus* – os últimos.

Inesperadamente Pedrinho avançou e assentou-lhe um murro no

pé do ouvido; Peter Pan avançou do outro lado e deu-lhe um tremendo pontapé na barriga.

Dois golpes só, mas dois golpes de tal ordem que Popeye arregalou os olhos. Viu que tinha pela frente contendores mais perigosos que todos os marinheiros do *Wonderland*. E não quis saber de histórias – correu para a lata de espinafre escondida no oco. Tomou-a e engoliu tudo, fazendo uma careta. Esfregou a barriga e avançou contra os meninos.

Ah! Que tourada bonita! Os dois meninos espinafrados caíram de murros em cima do marinheiro encouvado, como cães famintos que se lançam ao mesmo osso. Foi murro de todas as bandas, de todo jeito e de todos os calibres. Popeye virou peteca. Um soco de Pedrinho o jogava sobre Peter Pan. Vinha o soco de Peter Pan que o arremessava sobre Pedrinho. E naquele vaivém ficou Popeye por dois minutos, enquanto a criançada em redor batia palmas e gritava:

– Outro! Outro! Um murro nos queixos agora!...

Quem teve a honra de pregar o grande murro nos queixos, o murro que derruba nocaute, foi Pedrinho. Assentou um murro

debaixo para cima – *baf!* Popeye deu duas voltas no ar e aplastou-se no chão, sem sentidos. Pedrinho agarrou-o então por uma perna e puxou-o para junto da massa do Capitão Gancho.

– Pronto! – gritou em seguida, virando-se para a criançada.

– *Cocoricocó!* – cantou Peter Pan.

Romperam palmas e vivas. Uma gritaria medonha.

– Viva Pedrinho! Viva Peter Pan!...

Quando o berreiro chegou à sala, Dona Benta sorriu e disse a Mr. Brown:

– Pronto, almirante. Popeye já está nocaute.

– Como sabe?

– Não ouve os gritos de vitória? Eu tinha certeza de que ia ser assim e por isso não me incomodei. Popeye derrotou os marinheiros do *Wonderland*, venceu o Capitão Gancho, mas com os meus netos ele se estrepou. São uns danadinhos...

Tia Nastácia apareceu nesse momento.

– Corra, sinhá! – dizia ela. – Venha ver! Seu Pedrinho e aquele outro deram uma tunda no marinheiro do *pu! pu!* que o coitado virou massa de gente. Venha ver que coisa linda, sinhá...

Dona Benta e o almirante foram ver. E viram. Viram Popeye sem sentidos, ao lado do corpo amassado do Capitão Gancho. E viram também uma coisa muito curiosa: os marinheiros do *Wonderland*, que pareciam mortos, começaram a ressuscitar. Ergueram-se e vieram fazer roda em torno das duas massas de gente.

– Que é isso? – interpelou Mr. Brown. – Não estavam mortos, então?

Um deles respondeu por todos:

– Tonteados apenas, almirante; mas como vimos que era impossível vencer Popeye, ficamos caídos no chão, a fingir de mortos.

– Bem – disse o almirante, satisfeito de não ter perdido os seus homens. – Levem para o navio estes dois fregueses, e, se voltarem a si, ponham-nos a ferros. A Justiça inglesa os julgará.

Os marinheiros agarraram as duas massas de gente e se foram com elas para o caminhão dos sanduíches.

– *Uf!* – exclamou o velho inglês. – Que susto raspei! Nem o grande almirante Nelson jamais se viu numa alhada semelhante. Mas muito eu desejaria que a senhora me explicasse todo este mistério.

Dona Benta explicou.

– Nada mais fácil, almirante. Uma simples troca de latinhas que a Emília fez. O pobre Popeye só é gente depois que ingere o tal espinafre da lata. Mas Emília trocou a sua lata de espinafre por uma de couve moída, e trouxe o espinafre para os meninos. Só isso...

– E por que a senhora não me avisou há mais tempo? Por que me fez passar por tamanhas angústias? – queixou-se o coitado.

– Para proporcionar a vossa honra o imenso prazer que neste momento está sentindo – respondeu a velha.

O almirante chamou Emília para receber os seus cumprimentos.

– Tudo dependeu da sua ideia, senhora Marquesa – disse ele. – A principal coisa foi trocar a lata de espinafre pela de couve moída. Cabe-lhe, portanto, a grande honra deste memorabilíssimo feito, e estou certo de que sua majestade britânica saberá recompensá-la devidamente. Talvez a faça baronesa do Império.

– Prefiro que sua majestade britânica me mande uma caixa de latas de leite condensado – respondeu a boneca.

O maior prazer de Emília era abrir dois furos na tampa de uma lata de leite condensado para escorrer o fio num prato, desenhando letras. Dois furinhos – um para a saída do leite, outro para a entrada do ar. Com um furo só o leite não sai.

Logo depois...

Diálogo entre a boneca e o Visconde. A esperteza de Emília e a resignação do milho

Estava o Visconde nesse ponto das Memórias, quando Emília entrou.

– Como vai o serviço? – indagou ela. – Já escreveu alguma coisa?

– Um colosso, Emília! Contei toda a história do anjinho, a vinda das crianças inglesas, a luta de Popeye com o Capitão Gancho, com os marinheiros do *Wonderland* e depois com Pedrinho e Peter Pan...

– Contou que fui eu quem salvou tudo? Que se não fosse a minha ideia da couve a situação teria sido um horror?

– Contei tudo direitinho.

– Então leia.

O Visconde leu todos os capítulos já prontos, aos quais Emília aprovou e gabou, achando-os muito bem escritinhos.

– Está bem – disse ela. – Minhas Memórias vão a galope. Quero provar ao mundo que faço de tudo, que sei brincar, que sei aritmética, que sei escrever memórias...

– Sabe escrever memórias, Emília? – repetiu o Visconde ironicamente. – Então isso de escrever memórias com a mão e a cabeça dos outros é saber escrever memórias?

– Perfeitamente, Visconde! Isso é que é o importante. Fazer coisas com a mão dos outros, ganhar dinheiro com o trabalho dos outros, pegar nome e fama com a cabeça dos outros: isso é que é saber fazer as coisas. Ganhar dinheiro com o trabalho da gente, ganhar nome e fama com a cabeça da gente é não saber fazer as coisas. Olhe, Visconde, eu estou no mundo dos homens há pouco tempo, mas já aprendi a viver. Aprendi o grande segredo da vida dos homens na terra: a esperteza! Ser esperto é tudo. O mundo é dos espertos. Se eu tivesse um filhinho, dava-lhe um só conselho: "Seja esperto, meu filho!".

– E como lhe explicar o que é ser esperto? – indagou o Visconde.

– Muito simplesmente – respondeu a boneca. – Citando o meu exemplo e o seu, Visconde. Quem é que fez a "Aritmética"? Você. Quem ganhou nome e fama? Eu. Quem é que está escrevendo as Memórias? Você. Quem vai ganhar nome e fama? Eu...

O Visconde achou que aquilo estava certo, mas era um grande desaforo.

– E se eu me recusar a escrever? Se eu deixar as Memórias neste ponto, que é que acontece?

Emília deu uma grande risada.

– Bobo! Se fizer isso, pensa que me aperto? Corro lá com Quindim e ele me acaba o livro. Bem sabe que Quindim me obedece em tudo, cegamente. É inútil, Visconde, lutar contra os espertos. Eles acabam vencendo sempre. Por isso, abaixe a crista e continue.

O pobre Visconde deu um suspiro. Era assim mesmo...

– E agora? – indagou. – Que mais quer que conte?

– O resto da história do anjinho. Conte como foi a fuga do anjinho para o céu. Vá escrevendo que eu já volto. Estou brincando de pegador com o Quindim.

Disse e saiu correndo.

O Visconde tomou da pena e com toda a resignação continuou.

A FUGA DO ANJINHO. GRANDE TRISTEZA. DESPEDIDA DA CRIANÇADA E DO ALMIRANTE BROWN

Depois dos fatos que acabamos de narrar, prosseguiu o Visconde no capítulo seguinte, tudo correu sem novidades no sítio. As crianças inglesas passaram lá três dias, brincando de mil brinquedos, no maior contentamento possível. Os caminhões do *Wonderland* vinham duas vezes por dia, de manhã e à tarde, com o carregamento de comedorias – e eram tantas que Tia Nastácia descansou do fogão. Ela e Dona Benta aderiram aos sanduíches, geleias e queijos do rei da Inglaterra.

Só quem não gostou da festa foi o anjinho. As crianças o atropelavam demais. Não havia para ele um só momento de sossego. Isso acabou dando-lhe uma ideia: escapar, voltar para o céu. No terceiro dia, Flor das Alturas experimentou as asas. Voou um bocadinho, como se fosse para a criançada ver. Sentiu-se bem. A quebradura estava perfeitamente soldada. Foi então que resolveu fugir para sempre.

Mas como já estivesse gostando dos meninos do sítio não fugiu como um fujão qualquer. Despediu-se, lá do jeitinho dele. Chegando perto de Narizinho, murmurou:

– Narizinho, deixe-me dar um grande abraço e um beijo em você. Gosto tanto da minha amiga...

Narizinho deixou-se abraçar e beijar inúmeras vezes.

Depois foi ter com Pedrinho e falou em outro tom.

– Pedrinho – disse ele –, fique certo de uma coisa: se algum dia eu desaparecer (por morte, está claro), levarei uma lembrança eterna de todos daqui, e principalmente de você.

E abraçou-o e beijou-o também.

Em seguida foi ter com a boneca.

– Emilinha, venha dar-me um abraço e um beijo.

– Para que tanta coisa, meu anjo? Será que quer deixar-nos?

– Não. Apenas quero dar parabéns pelo que você fez.

Emília abraçou-o e beijou-o – mas desconfiou, indo dizer à menina:

– Estou desconfiada do anjinho. Esses abraços e beijos parecem-me fora de propósito. Para mim, ele está pensando mais é em fugir. Já sarou. Já voa. E se Tia Nastácia não cortar logo a ponta de uma das suas asinhas, *prrr!*... lá se vai ele a qualquer momento.

– Não seja boba, Emília! Juro que o anjinho não pensa mais no céu. Está acostumadíssimo conosco.

– Pode ser – disse a boneca –, mas, por causa das dúvidas, vou insistir com Tia Nastácia para que lhe corte a asinha, já, já. E se ela não tiver coragem eu mesma a cortarei.

Emília foi e intimou a preta a cortar a asa do anjinho naquele mesmo dia.

– Deus me livre! – respondeu Tia Nastácia. – Cortar a asa de um anjo do céu, como se fosse galinha?... Deus me livre de cometer semelhante sacrilégio. Os anjos são criaturas celestes.

– Pois então eu mesma corto – gritou Emília. – Ele está mudado e hoje me deu um abraço e um beijo com cheirinho de despedida. E já voa perfeitamente, sabe?

Disse e correu ao quarto de Dona Benta em procura da tesoura. Estava a remexer na cesta de costura, quando um imenso berreiro se levantou no pomar. Emília correu à janela.

– O anjinho voou! – gritava a criançada. – Vai voando alto! Vai sumindo no céu!...

Emília ainda pôde vê-lo nos ares. Lá se ia que nem uma garça, subindo, subindo sempre. Já era um ponto no espaço. Por fim desapareceu...

Ninguém descreve o desespero das crianças. O chão do pomar ficou ensopado de lágrimas. Pedrinho dava pontapés raivosos nas cascas de laranja. Narizinho, no colo de Dona Benta, soluçava com desespero. Só Emília não chorou. Apenas enfureceu-se contra Tia Nastácia.

– Aquela burrona! Prometeu que cortava a asinha dele e não cortou. Agora, está aí...

Foi correndo à cozinha tomar satisfações.

— Viu o que a senhora fez? Por causa da sua lerdeza, do seu medo, do tal "sacrilégio", perdemos o nosso anjinho. Voou! Foi-se para sempre...

Nastácia enxugou uma lágrima na ponta do avental.

— Mas eu não tinha coragem de cortar a asinha dele, Emília. Tive medo. Essas criaturinhas do céu são as aves de Deus. Deus podia me castigar...

— Castigar, nada! – berrou Emília. – Todas as aves são de Deus e no entanto prendemos canários e sabiás nas gaiolas e comemos pombos assados sem que Deus se importe. Pensa que Ele fica o tempo todo prestando atenção nas aves do quintal do céu? Tem mais que fazer, boba. Além disso anjo é coisa que há lá por cima aos milhões. Um de menos, um de mais, Deus nem percebe. Perdemos o anjinho por sua culpa só. Burrona! Negra beiçuda! Deus que te marcou, alguma coisa em ti achou. Quando ele preteja uma criatura é por castigo.

Tia Nastácia rompeu em choro alto – tão alto que Dona Benta veio ver o que era.

Emília explicou:

– Esta burrona teve medo de cortar a ponta da asa do anjinho. Eu bem que avisei. Eu vivia insistindo. Hoje mesmo insisti. E ela, com esse beição todo: "Não tenho coragem... É sacrilégio...". Sacrilégio é esse nariz chato.

– Emília! – repreendeu Dona Benta. – Respeite os mais velhos! Não abuse!

– Bolas! – gritou Emília retirando-se e batendo a porta.

– Como está ficando insolente! – murmurou Dona Benta.

Era o dia da volta da criançada. Logo depois o almirante Brown deu aos marinheiros as ordens necessárias e apitou. Todos se reuniram em torno dele.

– Meus meninos e meninas – disse o velho inglês, de pé no topo da escadinha da varanda. – A nossa festa chegou ao fim. Passamos neste sítio três dias inigualáveis, na companhia desta boa gente e do anjinho que acaba de desaparecer nas nuvens, saudoso das estrelas do céu. Vamos reembarcar para a Inglaterra. Quero agora que vocês desfilem diante de Dona Benta e lhe agradeçam com um bom *shake- -hands* (aperto de mão) a maravilhosa hospedagem que nos proporcionou. Mas antes disso vão me acompanhar num *hurra* de saudação.

E berrou:

– *Hurra! Hurra!* Dona Benta!

– *Hurra!...* – ecoaram as crianças num coro de vozes que encheu os ares.

Peter Pan subiu à escadinha.

– *Hurra! Hurra!* Pedrinho... – gritou ele.

E as crianças ecoaram:

– *Hurra! Hurra!* Pedrinho!

Alice trepou à escada.

– *Hurra! Hurra!* Narizinho e Emília.

E mil vozes ecoaram:

– *Hurra! Hurra!* Narizinho e Emília.

Ao ouvir o berreiro, Tia Nastácia, lá no fogão, murmurou consigo:
– Como estes inglesinhos urram, meu Deus!....

Em seguida as crianças desfilaram diante de Dona Benta, que teve a pachorra de apertar a mão de todas, uma por uma.

– *Goodbye!* – iam elas dizendo a cada *shake-hand*. Chegou a vez de o almirante despedir-se.

– Minha senhora – disse ele –, não sei como agradecer a boa acolhida que tivemos neste abençoado sítio. Vou com recordações que conservarei pelo resto da vida. E de tudo saberei dar boa conta a sua majestade britânica.

Dona Benta respondeu:

– Senhor almirante, a honra que o rei da Inglaterra nos fez mandando aqui a flor da criançada inglesa é dessas coisas que até deixam uma pessoa com um nó na garganta. Não encontro palavras de agradecimento. Peço que apresente a sua majestade as minhas homenagens e diga à rainha viúva que senti profundamente a morte de seu augusto esposo. Adeus, senhor almirante Brown! Que sejam muito felizes na viagem, são os meus mais sinceros votos. Adeus!...

A criançada, com o velho almirante à frente, pôs-se em marcha. Quando chegaram à porteira, Emília gritou:

- Adeus, Alice! Adeus, Peter Pan! Adeus, almirante! Não se esqueça da minha caixa de latas de leite condensado, nem da vaca prometida à Dona Benta...

Narizinho danou.

- Esta sirigaita! Numa hora assim a gente comporta-se. É o momento solene. Que ideia não irá fazendo o almirante de você, gulosa?

- Que bem me importa! - exclamou Emília. - O que quero é que venha a minha caixa de leite.

Depois de tudo acabado, Dona Benta pediu à Tia Nastácia que lhe trouxesse uma bacia de água de sal.

- Para quê, sinhá?

- Para me curar, Nastácia. Os tais *shake-hands* desta inglesada escangalharam com a minha pobre mão...

Nesse ponto das Memórias o Visconde lembrou-se de que ele também tinha mãos e parou para esfregá-las. Releu o último capítulo. Gostou. Riu-se, pensando lá consigo: "Sou um danadinho para escrever! Mas por muito que escreva jamais conquistarei fama de escritor. Emília não deixa. Aquela diaba assina tudo quanto eu produzo...".

- *Muuuu!...* - soou um vozeirão na janela do quarto.

O Visconde voltou-se. Era Quindim. O rinoceronte enfiara o focinho pela abertura da janela. Emília, montada no chifre dele, gritou:

- Já acabou o serviço, Visconde?

- Acabei a história do anjinho. A criançada inglesa lá se vai embora, com o almirante na frente. Contei a história do leite condensado - aquela tremenda rata que você deu...

Emília escorregou do chifre do rinoceronte e entrou pela janela. Foi examinar a obra do Visconde. Fê-lo ler a última parte escrita. Deu a sua aprovação.

- Está bem. Falta agora aquele caso do Peninha - disse ela. - Bem sabe que depois do passeio ao País das Fábulas ficamos aqui numa dúvida a respeito do Peninha. Uns queriam que ele fosse o Peninha mesmo; outros achavam que era o próprio Peter Pan. Os dois meninos eram igualmente invisíveis, quando queriam ser invisíveis, e ambos cantavam *cocoricocó*. O meio de sair da dúvida, na minha opinião, seria fazer uma consulta a Peter Pan - e logo que a criançada inglesa partiu, com o almirante à frente, eu me lembrei disso.

– Pedrinho – disse eu – aproveite a ocasião para saber de Peter Pan se o Peninha é ele.

– Ótima lembrança! – respondeu Pedrinho – e mandou Rabicó atrás do bando já longe, com um recado que me lembro muito bem. Um recado assim: *"Amigo Peter: faça o favor de responder se o Peninha é ou não é você. Há muito tempo que andamos aqui na dúvida. Mas não minta. Responda a sério. Seu amigo Pedrinho"*.

Esse recado foi escrito às pressas num dos papéis que vinham embrulhando os sanduíches de presunto de Iorque. Lembro-me disso porque fui eu quem apanhou do chão o papel em que Pedrinho escreveu o recado. Pedrinho escreveu o recado, dobrou o papel muito bem dobradinho, e disse a Rabicó:

– Vá correndo atrás do bando e entregue isto a Peter Pan. E espere a resposta.

Nesse ponto o Visconde interrompeu Emília e continuou a história.

– Exatamente – disse ele. – E Rabicó foi correndo, mas parou logo adiante da porteira, atrás do cupim. O cheirinho a presunto de Iorque daquele papel engordurado perturbou a cabeça dele... Rabicó, então, comeu o recado sem nem sequer ter a lembrança de ler o bilhete, de modo a poder dar o recado verbalmente. E meia hora depois...

Emília tapou a boca do Visconde.

– Deixe-me contar o resto. Meia hora depois Rabicó reapareceu, fingindo-se cansadíssimo, com aquela cara de boi ladrão que ele tem quando faz algumas das suas.

– Pronto! – disse ele a Pedrinho. – Já entreguei o recado a Peter Pan.

– E qual foi a resposta? – perguntou Pedrinho.

– Rabicó atrapalhou-se, começou a mascar.

– A resposta? – repetiu. – A resposta... a resposta foi que... que ele agradecia muito as suas palavras de despedida e que quando chegasse à Inglaterra ia... ia...

Pedrinho avermelhou de cólera.

– Palavras de despedida? Eu lá escrevi palavras de despedida? Naquele bilhete eu apenas perguntava se o Peninha era ou não era ele...

– É verdade! – exclamou Rabicó. – Não sei onde ando com a cabeça. Isso mesmo. Assim que entreguei a Peter Pan o papel, ele o leu, pensou um minutinho... e... e respondeu assim: "Diga ao senhor Pedro que... que pode ser que sim, pode ser que não". Foi isso...

– Ficamos na mesma! – exclamou Pedrinho, danado. – Peter Pan está se fazendo de misterioso.

Mas eu, que não sou tola, desconfiei logo. Aproximei-me disfarçadamente da boca de Rabicó e cheirei – e senti um cheirinho de bilhete comido.

– Você devorou o bilhete, Rabicó! – fui gritando. – Tanto devorou que está com cheiro de bilhete devorado na boca!

– Não devorei, Emília! Juro que não devorei... – mentiu o miserável.

– Devorou! Devorou! Devorou!...

– Você, Visconde, vinha entrando, lembra-se?, ainda de camisola branca e asas – isto é, com uma asa só; a outra já havia caído. Eu, então, disse:

– Visconde, o senhor que é um Sherlock, venha resolver esse caso. Aplique a sua ciência na boca de Rabicó e veja se ele devorou um recado escrito em papel de sanduíche, que Pedrinho mandou a Peter Pan.

– Você, Visconde, foi buscar a lente dos detetives e examinou todos os pelinhos do focinho de Rabicó. E disse:

– Por aqui há sinais de ter andado um recado.

Rabicó defendeu-se:

– Nada mais natural, visto que levei o recado na boca – disse ele.

– Você, Visconde, prosseguiu na investigação, examinou-lhe os dentes e descobriu, entaladinhos neles, os sinais do crime. E gritou:

– Vejo nos vãos dos dentes deste quadrúpede pedacinhos de papel mascado – não foi assim mesmo, Visconde?

Pedrinho, então, não quis saber de mais nada. Pregou no Marquês tamanho pontapé que ele foi parar a 5 metros de distância, fazendo – *coin, coin* – e sumiu-se.

– A eterna gulodice de Rabicó fez que perdêssemos a melhor oportunidade de saber se Peninha era o mesmo Peter Pan ou não.

– Escreva este caso, Visconde. E depois pode contar a história inteira do Quindim aqui no sítio. Vá escrevendo, que eu já volto – concluiu Emília – e saiu correndo.

O VISCONDE DESABAFA. SEU RETRATO DA EMÍLIA. A BONECA PENSA EM HOLLYWOOD

O Visconde já estava com os dedos cansados de tanto escrever, e também revoltado contra as exigências de Emília. Súbito riu-se. "Vou pregar-lhe uma peça" – pensou lá consigo. "Vou escrever uma coisa e quando ela voltar e me mandar ler eu pulo o pedaço ou leio outra. É isso..."

E pôs-se a escrever contra a boneca, assim:

Emília é uma tirana sem coração. Não tem dó de nada. Quando Tia Nastácia vai matar um frango, todos correm de perto e tapam os ouvidos. Emília, não. Emília vai assistir. Dá opiniões, acha que o frango não ficou bem matado, manda que Tia Nastácia o mate novamente – e outras coisas assim.

Também é a criatura mais interesseira do mundo. Tudo quanto faz tem uma razão egoística. Só pensa em si, na vidinha dela, nos brinquedinhos dela. Por isso mesmo está ficando a pessoa mais rica da casa. Eu, por exemplo, só possuo um objeto – a minha cartola. Jamais consegui ser proprietário de outra coisa, porque se arranjo qualquer coisa Emília encontra jeito de me tomar. Até aquele ditonguinho que raptei no País da Gramática e escondi na boca a diaba descobriu e me fez cuspir fora.

Ela, entretanto, possui um colosso de coisas. O quartinho da Emília está cheio – mais ainda que este quarto de badulaques. É dona de grande número de pernas e braços e cabeças de bonecas – das que Narizinho quebrou. Tem uma coleção de panelinhas de barro, e outra de caquinhos coloridos de louça. Uma vez quebrou de propósito uma linda xícara verde de Dona Benta só para completar a sua coleção de caquinhos – porque estava faltando um caquinho verde...

Tem besouros secos, um morcego seco, flores secas, borboletas secas e até um camarão seco. Tem coleção de fios de cabelo, que ela enrola um por um como cordinhas. Cabelos de Dona Benta, de Narizinho e Pedrinho, do Capitão Gancho, do Popeye. Na sua coleção, diz ela, só falta uma coisa: fio de cabelo de um homem totalmente careca.

E tem mais coisas. Tem uma coleção de selos, todos cortados. Emília recorta as cabecinhas e mais figurinhas dos selos e prega-as num álbum. Não há o que não haja naquele quarto. Durante uns tempos andou com mania de colecionar verrugas, das que têm um fio de cabelo plantado no meio. Isso por causa da sogra do Compadre Teodorico, que veio um dia aqui. Essa velha possui uma verruga na cara. Emília começou a namorar aquela verruga. Por fim ofereceu à velha um tostão por aquilo – imaginem!

Emília é uma criaturinha incompreensível. Faz coisas de louca, e também faz coisas que até espantam a gente, de tão sensatas. Diz asneiras enormes, e também coisas tão sábias que Dona Benta fica a pensar. Tem saídas para tudo. Não se aperta, não se atrapalha. E em matéria de esperteza não existe outra no mundo. Parece que adivinha, ou vê através dos corpos.

Um dia, em que muito me impressionei com qualquer coisa que ela disse, propus-lhe esta pergunta:

– Mas, afinal de contas, Emília, que é que você é?

Emília levantou para o ar aquele implicante narizinho de retrós e respondeu:

– Sou a Independência ou Morte.

Fiquei pensativo. Na realidade, o que Emília é, é isso: uma independenciazinha de pano – independente até no tratar as pessoas pelo nome que quer e não pelo nome que as pessoas têm. Para ela eu sou o Milho; o almirante é o Bife...

Aqui no sítio quem manda é ela. Por mais que os meninos façam, no fim quem consegue o que quer é a Emília com os seus famosos jeitinhos.

Certa vez...

Emília entrou nesse momento.

– Como vão as Memórias, Visconde? Mais um capítulo?

– Sim – respondeu o Visconde, meio atrapalhado. – Escrevi mais um capítulo...

– Sobre quê?

O Visconde, que não queria ler aquele capítulo contra ela, começou a inventar.

– Escrevi – disse ele – sobre... sobre a nossa volta da viagem ao céu. Contei o... o tombo que vocês deram de cima daquele cometa.

Emília desconfiou.

– Visconde, Visconde! O senhor está me tapeando!... Esse seu ar de cachorrinho que quebrou a panela está me dizendo que o senhor escreveu uma coisa e quer impingir outra.

O pobre Visconde corou até a raiz das palhinhas. Impossível enganar aquele azougue! A boneca arrancou-lhe das mãos o capítulo. Leu-o... Mas com grande assombro do Visconde não fez a cena que ele esperava. Emília ficou uns instantes meditativa. Depois disse:

– O senhor me traiu. Escreveu aqui uma porção de coisas perversas e desagradáveis, com o fim de me desmoralizar perante o público. Mas, pensando bem, vejo que sou assim mesmo. Está certo.

Leu mais uma vez o capítulo.

– É isso mesmo. Sou tudo isso e ainda mais alguma coisa. Pode ficar como está. Cada um de nós dois, Visconde, é como Tia Nastácia nos fez. Se somos assim ou assados, a culpa não é nossa – é da negra beiçuda.

Cada vez que Emília falava na negra lembrava-se do anjinho fugido, de modo que naquele momento esqueceu das Memórias para pensar nele.

– Não posso falar nessa negra beiçuda sem que o sangue não me venha à cabeça, Visconde! Perdemos Florzinha das Alturas só por causa de um tal "sacrilégio" que a burrona inventou! Impossível conformar-me com a perda do meu anjinho...

E depois de uns instantes de meditação:

– Estou a ver-me com ele em Hollywood, no cinema...

Súbito, teve uma ideia.

– Pode ir embora, Visconde. Eu mesma quero acabar estas Memórias. Vou contar o que teria acontecido se Tia Nastácia houvesse cortado a ponta da asa do anjinho.

MINHA VIAGEM A HOLLYWOOD

Fomos para Hollywood no *Wonderland*, com toda a criançada inglesa, Peter Pan e o almirante. E Alice também. Fugi do sítio. Eu já andava enjoada de bolinhos, de pitangueira, de países-da-gramática. Fugi – fugi – fugi com o anjinho e o Visconde.

A viagem foi ótima, exceto para o Visconde, que enjoou a ponto de deitar ao mar metade da sua ciência. Vomitou logaritmos, ângulos e triângulos, leis de Newton – uma trapalhada. Eu não enjoei coisa nenhuma, nem o anjinho. Em vez disso, aproveitei o tempo para estudar com o almirante a língua de Alice. No fim da primeira semana o velho declarou a Peter Pan:

– É extraordinária a inteligência desta criança! Já está falando inglês sem o menor sotaque!

Não era elogio, não. De fato assimilei com tal perfeição aquela língua que cheguei até a corrigir muitos erros de Alice.

Em Nova Iorque desembarcamos. Houve briga. O almirante queria levar-me para Washington, a fim de apresentar-me ao tal presidente Roosevelt. Eu só queria saber do cinema. Queria Hollywood, que é a cidade do cinema. Não discuti. Fingi que ia para Washington e fui parar em Hollywood, de avião.

– Como isso? – perguntará alguém; e eu responderei: "Não me amolem com cornos. Comigo não há como. Fui e acabou-se".

Lá chegando, com o anjinho por uma das mãos e o Visconde pela outra, fui logo em procura da Shirley Temple. Bati na porta da casinha dela. Veio uma criada.

– Dona Shirley está? – perguntei.

Quando a criada nos viu, arregalou os olhos e abriu uma boca deste tamanho.

– Shirley, corra!... Venha ver três fenômenos – gritou ela. – Um anjinho, uma boneca e um sabugo de cartola...

Shirley veio de galope. Mas não mostrou o menor espanto. Abraçou-me, dizendo:

– Eu sabia que você acabava chegando até aqui. Ainda ontem disse à mamãe: "Qualquer coisa está me dizendo que Emília não tarda".

Quem se admirou daquelas palavras fui eu.

– Então... então já me conhecia? – perguntei.

– Ora, Emília! Quem não conhece a Marquesa de Rabicó? Fiquei sabendo que em Hollywood todos sabemos de corzinho aqueles livros onde vêm contadas as suas histórias.

O caso da pílula falante, da viagem ao País da Fábula, onde Dona Benta se sentou em cima do dedo do pássaro Roca pensando que era raiz de árvore... Quem não sabe essas histórias?

– Pois então, minha cara Shirley, estamos mais do que pagas – disse eu –, porque no Brasil não há quem não conheça você. Aquela sua fita do tempo da guerra, quando você foi pedir ao presidente Lincoln que soltasse o prisioneiro, e começou a comer maçã no colo dele – "Este pedaço é meu", "Este agora é o seu" – não há por lá quem não conheça. Sabemos você de cor, Shirley.

– Ótimo! – disse ela. – E que pretendem fazer por aqui?

– Que pergunta! Pretendemos virar estrelas. Minha ideia é empregar-me na Paramount, eu e estes companheirinhos. Formaremos o mais estupendo trio que ainda houve. Que acha?

– Acho que vai ser um sucesso louco, Emília! Nunca apareceu no cinema um anjo de verdade, nem uma boneca falante, nem um sabugo científico.

– Já não é mais – murmurei olhando para o Visconde com o meu ar compungido.

– Não é mais o quê?

– Científico. Na viagem por mar o Visconde enjoou e vomitou toda a ciência. Está vazio...

– Que pena! – exclamou Shirley. – E agora?

– Havemos de dar um jeito. Tenho ideia de levá-lo a uma universidade para enchê-lo de novo. Talvez haja por lá alguma bomba de ciência, como as de gasolina.

Shirley refletiu uns instantes.

– Não é preciso – declarou por fim. – Conheço grandes artistas do cinema que não possuem ciência nenhuma. Rin-tin-tin, por exemplo. Qual a ciência dele? Nenhuma. Não sabe nem o que é verbo. E quantos outros! Mas, olhe, antes de vocês se apresentarem à Paramount, podemos fazer um ensaio de fita aqui em casa. Tenho tudo o que é necessário. Enredo, inventaremos um. Quer?

– Ótimo, Shirley! – exclamei entusiasmada. – E enredo já tenho um excelente na cabeça. A bordo vim todo o tempo pensando nisso.

– Qual é?

– Uma fitinha tirada do *Dom Quixote de La Mancha*. Conhece a história?

– Se conheço! É de todos os livros o de que gosto mais. Já o li três vezes.

– Pois muito bem – disse eu. – O Visconde será Dom Quixote. Eu serei o moinho de vento. O anjinho será Sancho Pança...

– Que judiação! – exclamou Shirley com os olhos em Flor das Alturas. – Fazer de um encantinho destes um gorducho daqueles...

– Tudo por brincadeira, Shirley. Quanto mais maluco, mais engraçado. E você fará o papel do cura da aldeia.

– Não! – gritou Shirley. – Quero fazer o papel de Rocinante! Que amor de cavalo aquele!...

Pronto! Estava tudo resolvido. Arranjar vestuários foi um instante. Shirley tinha um quarto cheio de brinquedos e coisas que lhe davam. Primeiro vestimos de Dom Quixote o Visconde, com uma tampa de lata na cabeça – o elmo de Mambrino. Com a lata de uns vagõezinhos quebrados fizemos a couraça; e com outra tampa de lata, o escudo. Ficou faltando a lança.

– E lança, Shirley? – perguntei, não vendo por ali nada que pudesse espetar.

– Cabo de vassoura serve?

– Muito grande, muito pesado para ele.

– Cabo de vassourinha – explicou logo Shirley. – Tenho uma de um tamanho que serve perfeitamente – e logo achou uma vassourinha sem vassoura, só cabo. Fez ponta.

– Está aqui uma lança boa para um espirro de gente – disse ela dando-a ao Visconde. – Vamos agora "sanchar" o nosso anjo.

Eu rolei de rir quando Shirley acabou de arrumar o anjinho com um pequeno travesseiro amarrado na barriga para servir de pança. E pendurado no ombrinho dele um alforje. Ficou um amor de Sancho Pança. Só faltava o burrinho.

– E o burrinho? – perguntei.

– Cavalos temos aqui em quantidade – disse Shirley, remexendo num monte de brinquedos onde havia de tudo. Achou logo um cavalo sem rabo, que ficou sendo burro.

O anjinho montou.

– Viva, viva Sancho Pança! – gritamos as duas dando um beijo naquela galanteza barriguda. Flor das Alturas fez bico. Estava assustado de ver-se gordo daquela maneira.

– E como vai você fazer o moinho de vento? – perguntou Shirley.

– Nada mais simples – respondi. – Fico plantada ali naquele lugar, que é a estrada, fico girando o braço direito como asa de moinho, assim...

– Ótimo! – exclamou Shirley. – Podemos então começar.

E começamos.

Plantei-me à beira da estrada, muda como um peixe, a girar o braço, *zunnn*...

Lá longe apareceu Dom Quixote, montado no Rocinante-Shirley, com o anjinho-Sancho atrás. Assim que me viu, Dom Quixote parou e disse:

– Olha lá, amigo Sancho! Estou vendo à beira do caminho um terrível gigante. Vou atacá-lo.

O anjinho-Sancho, que havia decorado mal o que tinha de dizer, respondeu:

– Não é gigante, meu senhor. É a Emília fingindo de moinho.

– Tu és o rei dos patetas, Sancho! – disse Dom Quixote. – Juro que é o tremendo gigante Milarrobas, o maior comedor de crianças que existe. Espera-me neste ponto. Vou atacá-lo. Depois de vencido, poderás recolher os despojos.

E Dom Quixote atacou, de lança em riste, fazendo Rocinante disparar na minha direção num galope louco. O Rocinante-Shirley teve de segurar as perninhas dele, para que não caísse cem tombos.

Quando vi aproximar-se de mim aquele cavaleiro andante de tampinha de lata na cabeça e lança apontada, regirei os braços com mais força. E quando ele chegou ao meu alcance dei-lhe tal peteleco que ele voou pelos ares, indo cair de ponta-cabeça dentro de uma caixa de bombons vazia. Ficou lá de pernas para o ar, mudo, sem poder dizer o que tinha de dizer. Rocinante-Shirley foi tirá-lo da caixa. Só então Dom Quixote exclamou:

– Acuda, Sancho! O maldito gigante deixou-me em pandarecos.

O anjinho-Sancho veio correndo, a puxar o seu burrinho-cavalo, que era de rodas. Chegou e esqueceu a falação ensinada.

– Que é que eu digo agora? – perguntou ele a Rocinante-Shirley com aquela carinha linda de anjo caído do céu.

Rocinante-Shirley repetiu-lhe ao ouvido a réplica, isto é, o que ele tinha de dizer. E ele:

– Senhor meu amo, bem feito! Eu não disse que era moinho? Não quis acreditar, não é? Pois agora fomente-se...

Dom Quixote respondeu:

– Não era moinho, não, Sancho! Era o gigante! Mas o maldito mágico Freston o transformou em moinho no momento em que o ataquei. Agora estou aqui com as costelas quebradas, sem poder levantar-me...

– Sua alma, sua palma – disse Sancho. – Quem vai buscar lã, sai tosquiado. Boa romaria faz, quem em casa fica em paz. Aguente-se...

Dom Quixote gemia no chão. Rocinante-Shirley também devia estar caído, a gemer, mas pulou esse pedaço. Estava, sim, a rir-se doidamente da atrapalhação de Sancho com o travesseirinho da pança.

– O travesseiro está caindo! – murmurava Sancho muito aflito.

– Deixe que caia! – gritei. – Faz de conta que você emagreceu da dor de ver o seu amo espandongado. Vamos agora conduzir Dom Quixote para a aldeia da Mancha.

Shirley largou de ser Rocinante e eu larguei de ser moinho. Levantamos Dom Quixote do chão para o arrumarmos em cima do burrinho-cavalo de Sancho – e lá fomos para a aldeia. Ao atravessarmos a sala de jantar, vimos a mãe de Shirley arrumando a mesa para o lanche.

– Que maluquice é essa, minha filha? – perguntou a boa senhora, que não sabia de nada. E vendo-me ali, mais o anjinho: – E que crianças esquisitas, Shirley! Onde descobriu isso?

– Não são crianças, mamãe. Esta é a Emília, a famosa boneca que faz coisas do arco-da-velha no sítio de Dona Benta, e este é o anjinho de asa quebrada que ela caçou nas estrelas.

A mãe de Shirley abriu tamanha boca que tive medo que me engolisse. A coitada não entendeu patavina, pois nunca tinha ouvido falar de mim, nem do sítio, nem do anjinho. Quis mais explicações.

– Impossível, mamãe! – respondeu Shirley. – Estamos com pressa de chegar à aldeia da Mancha onde mora este cavaleiro andante...

– Que cavaleiro andante, minha filha? – interrompeu a boa senhora espantada.

– Dom Quixote, mamãe, este de costelas quebradas que segue no burrinho-cavalo. E para mim: – Depressa, moinho! Não temos tempo a perder. O nosso doente está desenganado.

Atravessamos a sala no trote e saímos para a rua, deixando a mãe de Shirley ainda de boca aberta e olhos arregalados, sem entender coisíssima nenhuma.

Na rua chamamos um táxi. Entramos. Pusemos dentro o pandareco.

– Depressa! – gritou Shirley. – Toque para a aldeia da Mancha onde mora este freguês.

O homem do táxi não sabia onde era a tal aldeia.

– É em qualquer parte! – gritou Shirley. – Toque depressa antes que ele morra.

O táxi saiu na volada.

Dona Benta descobre as Memórias da Emília. Pedrinho e Narizinho aparecem no quarto. Fim da aventura em Hollywood

Uma batida na porta veio interromper o trabalho de Emília em suas Memórias. Era Dona Benta.

– Estou estranhando a sua quietura aqui neste quarto, Emília, e vim saber o que há – disse a boa velha.

– Não há nada, Dona Benta. É que estou escrevendo as minhas Memórias e acabo de chegar a um ponto muito interessante. O táxi vai numa volada louca para a aldeia da Mancha. O cavaleiro andante geme com três costelas quebradas. Sancho perdeu a barriga de travesseiro. Rocinante-Shirley deixou a mamãe na sala de jantar com uma cara igualzinha à sua.

De fato, a cara de Dona Benta estava igualzinha à cara que a mãe da Shirley fez na sala de jantar, quando viu aquele bando de louquinhos passar por lá.

– Mas... – começou Dona Benta. – Não estou entendendo nada de nada de nada, Emília. Explique-se.

– São as minhas Memórias, Dona Benta.

– Que Memórias, Emília?

– As Memórias que o Visconde começou e eu estou concluindo. Neste momento estou contando o que se passou comigo em Hollywood, com a Shirley, o anjinho e o sabugo. É o ensaio de uma fita para a Paramount.

– Emília! – exclamou Dona Benta. – Você quer nos tapear. Em

Memórias a gente só conta a verdade, o que houve, o que se passou. Você nunca esteve em Hollywood, nem conhece a Shirley. Como então se põe a inventar tudo isso?

– Minhas Memórias – explicou Emília – são diferentes de todas as outras. Eu conto o que houve e o que devia haver.

– Então é romance, é fantasia...

– São memórias fantásticas. Quer ler um pedacinho?

– Agora, não. Tenho de ir escolher a franga que Tia Nastácia vai matar. Quando o seu trabalho estiver concluído, então o lerei. Estou deveras curiosa de ver o que sai dessa cabecinha...

– Piolho é que não é!

Dona Benta retirou-se e Emília continuou. Antes disso esteve uns instantes com os olhos no forro, pensando lá consigo: "Estas velhas só servem para atrapalhar a vida da gente". Não me lembro mais onde estava. Ah, sim... Na volada do táxi, íamos para a aldeia da Mancha.

– Depressa, *driver!* – gritou Shirley para o chofer.

– Já chegamos – disse ele – e parou.

– É aqui então a aldeia da Mancha? – perguntou Shirley.

– Perfeitamente. A senhorita não disse que era em qualquer parte? Logo, é também aqui.

– Está certo – aprovou Shirley, saltando do táxi comigo e o anjinho. Nesse momento...

– Aí, senhora Emília! – exclamaram duas vozes atrás dela. – Escrevendo suas Memórias, hein?

Eram Narizinho e Pedrinho, aos quais Dona Benta havia contado tudo.

– Quero ler um pedaço – disse a menina.

Emília escondeu a papelada.

– Não pode ainda. Só depois que forem publicadas.

– Para que esse enjoamento? Tem medo que eu coma a sua literatura? – e Narizinho foi agarrando nas Memórias à força.

Leu um pedaço. Gostou.

– Estão engraçadas, sim, Pedrinho. Venha ver.

Pedrinho leu junto com ela mais um pedaço e a consequência foi ficarem também assanhadíssimos para escrever memórias.

– Vou começar as minhas já – disse Narizinho, jogando a papelada e saindo a galope.

– E eu também! – gritou o menino, saindo noutro galope.

– Invejosos! – murmurou Emília. – Assim que me veem fazendo uma coisa, querem fazer o mesmo.

Juntou a papelada do chão. Bocejou. Examinou os dedos.

– Como cansa escrever! Estou com a mão doendo. O melhor é continuar com a munheca do Visconde.

Foi à janela. Chamou:

– É hora, Visconde! Venha correndo!

O Visconde veio correndo.

– Já estou com os dedos doídos de tanto escrever – disse ela. – Continue as Memórias.

– Em que ponto está?

– Estou com a Shirley e o anjinho em Hollywood, levando Dom Quixote para a aldeia da Mancha, que pode ser em qualquer parte. Continue.

O Visconde abriu a boca, espantado. Não estava entendendo coisa nenhuma.

– Vamos, escreva! – disse ela.

– Como poderei escrever uma história que não sei? Nunca estive em Hollywood, nem nunca você me contou essa passagem.

– E que tem isso, bobo? Eu também não estive lá e estou contando tudo direitinho. Quem tem miolo não se aperta.

O Visconde leu o pedaço escrito.

– Que horror, Emília! Eu transformado aqui em Dom Quixote, com três costelas quebradas, moribundo... Isto é abusar da humanidade.

– Pois abuse da humanidade e termine a história.

– Da maneira que eu quiser? – indagou o Visconde, já com um plano na cabeça.

– Sim. Da maneira que quiser – respondeu Emília.

– Jura que de qualquer modo serve?

– Juro!

Ao ouvir o juro, o Visconde fincou com tanta força um ponto final na história que até furou o papel.

– Pronto! Está concluída.

Emília plantou-se diante dele, de mãozinhas na cintura, danada.

– Sim, senhor! Já é desaforo. Pregou-me uma peça, fazendo-me jurar. Olhe, Visconde, se me prega outra assim, juro que cumpro a minha palavra. Depeno-o, sabe?

Emília já ameaçara o Visconde de o "depenar", isto é, de lhe arrancar as perninhas e os braços, e o Visconde ficava branco de cera ao lembrar-se disso. Eis por que se apressou a pôr um rabinho naquele ponto final, transformando-o em vírgula.

– Eu estava brincando, Emília – disse ele. – Não concluí com ponto, e sim com vírgula. Quer dizer que a coisa continua. Vou contar o resto da história, pode ficar sossegada.

– Isso! E quando acabar me chame. Estou na salinha de costura de Dona Benta.

Emília saiu e o Visconde continuou as Memórias do ponto em que Emília parara, assim:

...Nesse momento, vírgula, Dom Quixote aproveitou-se de um instante em que o Moinho se havia afastado e disse para Rocinante-Shirley:

– Amigo Rocinante-Shirley, este Moinho é uma peste, vive atropelando a humanidade e sobretudo a mim, que sou a maior das vítimas. Ameaça-me sempre de um castigo tremendo: depenar-me.

– Como, senhor cavaleiro da Mancha? Como pode o Moinho depenar vossa senhoria, se vossa senhoria só possui penas lá no seu escritório, que é longe daqui, na aldeia da Mancha?

– Quando o Moinho fala em depenar-me, tem na cabeça uma ideia horrenda, qual a de arrancar-me estas duas pernas e estes dois braços que Tia Nastácia me deu.

Rocinante-Shirley horrorizou-se com tamanha crueldade e disse:

– Não tenha medo que tal aconteça, senhor Dom Quixote. Se o Moinho tentar fazer isso, encarrego-me de pregar-lhe uma valente parelha de coices. Confie em mim e não tenha medo de nada.

Nisto apareceu o Moinho, dizendo:

– Estamos extraviadas, Shirley! Falei com o polícia da esquina, com um vendedor de jornais e com o homem do armazém. Ninguém sabe da tal aldeia da Mancha.

Dom Quixote cochichou baixinho para Rocinante-Shirley:

– Sabem, sim. O Moinho está mentindo. Eu, se fosse você, pregava-lhe já a parelha de coices.

– Paciência, Dom Quixote! – respondeu Rocinante-Shirley, fingindo ter ouvido outra coisa. – Bem sei que costela quebrada dói muito, mas quem manda vossa senhoria andar se pegando com moinhos? Quem moinhos apetece é isso o que acontece.

Dom Quixote lançou um olhar de ódio contra o Moinho malvado que o tinha reduzido àquela triste situação.

Nisto passou um auto, com um homem conhecido da Shirley.

– Viva Mr. John! – gritou ela. – Foi ótimo que nos encontrássemos. Eu ia justamente à sua procura, para apresentar três novos artistas vindos da América do Sul.

– Não me fale em artistas novos – respondeu Mr. John, que era o governador da Paramount. – Estou farto. Tenho mais de mil propostas de artistas novos. O mundo inteiro quer entrar para o cinema.

– Mas estes são especiais– disse Shirley.

– Todos são especiais – replicou o homem. – Não há um que não diga de si as maiores maravilhas.

Nesse momento o homem deu comigo, Visconde. Ficou logo de olho arregalado.

– Quem é esta estranha e interessante figurinha? – indagou.

– Pois é justamente um dos artistas novos sobre que falei – respondeu Shirley. – Estivemos ensaiando uma fita tirada do Dom Quixote. Este Visconde faz o papel do herói, e já levou o tranco da asa do moinho. Está em pandarecos, todo moído por dentro, com três costelas partidas.

Mr. John assombrou-se. Examinou-me de todos os lados, fez-me perguntas e acabou dizendo:

– Pois, minha cara Shirley, acho que você acertou. Este freguesinho dá uma estrela de cinema de primeiríssima ordem. As fitas em que ele aparecer vão causar um sucesso tremendo.

– E nas em que este aparecer? – perguntou Shirley apresentando o anjinho.

Mr. John tonteou. Começou a gaguejar.

– Quem... quem é... esta... maravilhosa criança?

– Um anjo de verdade, Mr. John! O único que já desceu do céu à terra. Quer ver? – e tirou o capotinho que escondia as asas de Flor das Alturas. – Pode examinar as asinhas dele. Veja que são naturais e não amarradas, como as dos anjos de procissão.

Mr. John examinou, pegou, apalpou, pôs os óculos, examinou outra vez e por fim nem pôde falar de tanta gagueira. Um anjo de verdade, ali em Hollywood, positivamente era coisa de revolucionar o mundo.

– E temos ainda o terceiro – continuou Shirley apresentando o Moinho. – Esta é a famosa Emília, que nasceu no célebre sítio de Dona Benta.

– Não interessa – respondeu Mr. John imediatamente, sem gagueira nenhuma. – Bonecas de pano não valem nada.

– Mas esta é falante, Mr. John! – alegou Shirley.

– Pior ainda – disse ele. – Podemos fazer negócio com Dom Quixote e o anjinho. Mas a tal boneca de pano pode limpar as mãos às paredes. *Vade retro!*...

O Visconde estava nesse ponto, quando Emília entrou. Apavorado, escondeu as tiras.

– Quero ver isso! – gritou a boneca. – Já!...

– E eu não quero mostrar – respondeu o Visconde. – Não passa de simples borrão. Está cheio de erros. Vou passar a limpo. Depois mostrarei.

Emília deu-lhe um peteleco e tomou-lhe as tiras. Leu-as. Ficou vermelhinha como as romãs.

– Com que então, senhor Visconde, está me sabotando as Memórias, hein? Risque já todas as impertinências e escreva o que vou dizer.

O Visconde pegou da pena e com toda a humildade foi pondo no papel o que Emília quis.

– E então – ditou ela – o tal Mr. John aceitou como estrela da máxima grandeza no céu de Hollywood, primeiro Emília, Marquesa de Rabicó, depois o anjinho. Ao último, o tal Visconde de Sabugueira ou Sabugosa, recusou imediatamente, dizendo:

– Isto aqui não é cocho de vacas. Que ideia, senhora Shirley! Era lá possível eu contratar para a Paramount um sabugo de perninhas? Sabugos, minha cara, temos cá na Califórnia aos milhões. Não é preciso que venha nenhum de fora.

– E jogando dali para bem longe aquele sabugo bolorento, levou--nos em seu lindo automóvel para os estúdios da Paramount.

Emília parou nesse ponto, com os olhinhos duros fisgados no Visconde.

– Agora, sim. Agora a coisa está direita, exatinho como se passou.

– Passou, nada! – disse o Visconde num resmungo. – Você nunca esteve em Hollywood...

– Estive, sim – em sonho. E tudo quanto vi em sonho foi exatamente como acabei de ditar. Eu e Flor das Alturas viramos estrelas da tela. Você foi para uma lata de lixo.

– Isso não escrevo! – protestou o Visconde.

– Escreva ou não, foi o que aconteceu. Agora, rua! Ponha-se daqui para fora, seu pirata...

O Visconde fugiu no trote, muito feliz de ter escapado ao depenamento.

ÚLTIMAS IMPRESSÕES DE EMÍLIA. SUAS IDEIAS SOBRE PESSOAS E COISAS DO SÍTIO DE DONA BENTA

Emília sentou-se e escreveu:

Acabo de contar as folhas de papel já escritas e vejo que são muitas. Vou parar. Este livro fica sendo o primeiro volume das minhas Memórias. O segundo escreverei depois que ficar velha.

Antes de pingar o ponto final quero que saibam que é uma grande mentira o que anda escrito a respeito do meu coração. Dizem todos que não tenho coração. É falso. Tenho, sim, um lindo coração – só que não é de banana. Coisinhas à toa não o impressionam; mas ele dói quando vê uma injustiça. Dói tanto, que estou convencida de que o maior mal deste mundo é a injustiça.

Quando vejo certas mães baterem nos filhinhos, meu coração dói. Quando vejo trancarem na cadeia um homem inocente, meu coração dói. Quando ouvi Dona Benta contar a história de Dom Quixote, meu coração doeu várias vezes, porque aquele homem ficou louco apenas por excesso de bondade. O que ele queria era fazer o bem para os homens, castigar os maus, defender os inocentes. Resultado: pau, pau e mais pau no lombo dele. Ninguém levou tanta pancadaria como o pobre cavaleiro andante – e estou vendo que é isso que acontece a todos os bons. Ninguém os compreende. Quantos homens não padecem nas cadeias do mundo só porque quiseram melhorar a sorte da humanidade? Aquele Jesus Cristo que Dona Benta tem no oratório, pregado numa cruz, foi um. Os homens do seu tempo que só cuidavam de si, esses viveram ricos e felizes. Mas Cristo quis salvar a humanidade e que aconteceu? Não salvou coisa nenhuma e teve de aguentar o maior dos martírios.

Quando falo assim, Narizinho me chama de filósofa e ri-se. Não sei se é filosofia ou não. Só sei que é como sinto e penso e digo.

Eu era uma criaturinha feliz enquanto não sabia ler e portanto não lia os jornais. Depois que aprendi a ler e comecei a ler os jornais, comecei a ficar triste. Comecei a ver como é na realidade o mundo. Tanta guerra, tantos crimes, tantas perseguições, tantos desastres, tanta miséria, tanto sofrimento...

Por isso acho que o único lugar do mundo onde há paz e felicidade é no sítio de Dona Benta. Tudo aqui corre como num sonho. A criançada só cuida de duas coisas: brincar e aprender. As duas velhas só cuidam de nos ensinar o que sabem e de ver que tudo ande a hora e a tempo. Quindim só quer saber de capim e de recordar os tempos atormentados que passou em Uganda, em lutas constantes com as feras e os homens caçadores. Se ele escrevesse memórias, juro que seriam mil vezes mais interessantes que as minhas.

A Vaca Mocha também vive bem quieta no seu pasto e na cocheira, onde nunca lhe faltam boas palhas de milho. Vai tendo seus bezerrinhos e vai dando leite para todos nós. Leite como o dela não há no mundo. A Mocha capricha.

O Burro Falante está bem velho, coitado. É do tempo de La Fontaine, aquele homem que passeava no País das Fábulas, tomando nota do que ouvia aos animais, para escrever livros. Está tão velho e filosófico que só Dona Benta o compreende bem. Conversa altas filosofias.

Rabicó, esse não vale nada. A gula o perdeu. Não sendo coisa de comer, não se interessa por nada mais no mundo. Nem vale a pena falar nele.

Os outros personagens do sítio são inanimados, embora excelentes pessoas. Existe aquele João Faz-de-Conta que por uns tempos foi animado, falou, agiu e soube portar-se tão heroicamente nas nossas aventuras com Capinha Vermelha. Mas quebrou-se por dentro e umedeceu. Ficou um pedaço de pau à toa.

Entre os personagens inanimados gosto muito da porteira e da pitangueira.

A porteira só sabe fazer uma coisa: abrir-se e fechar-se. Para abrir-se espera que as pessoas animadas a ajudem. Abre-se, a pessoa animada passa e ela fecha-se por si mesma, com o peso, fazendo *nhem, nhem*. Boa pessoa. Dali não vem mal ao mundo.

A pitangueira, essa é importante. Está enorme. Bate em altura todas as árvores do pomar, exceto a figueira do oco, e tem casca sem nenhum musgo, lisa. Cada ano se enche de pitangas, das bem doces, divididas em gomos. Não gomos como os de laranja, separados uns dos outros; os gomos das pitangas são apenas para enfeite, grudadinhos. E outra excelente pessoa, de onde também não vem mal ao mundo.

Considero todas as árvores do pomar como excelentes criaturas. Não falam, não saem do seu lugarzinho, não se intrometem na vida alheia, só tratam de preparar as flores e as frutas de todos os anos. Cada qual fabrica uma qualidade de fruta – e é o que mais admiro, visto que a terra do pomar é a mesma para todas. Apesar disso, uma faz laranjas-de-umbigo, outras fazem laranjas-tangerinas, ou limas, e há até as que fazem os tais limões azedíssimos, que Tia Nastácia corta em rodelas para enfeitar os leitões assados.

A que eu acho mais interessante é a jabuticabeira. Enorme e com uma copada bem redondinha em cima. As folhas, muito juntas, não deixam atravessar o menor raio de sol. Quando chega certo mês, os seus galhos cobrem-se de botõezinhos brancos, que vão engrossando e se abrem em pequenas flores. Depois as flores secam e caem e ficam umas bolotinhas verdes do tamanho de grãos de chumbo. Esse chumbinho verde vai crescendo até ficar aí do tamanho de uma noz. Começam então a mudar de cor. Perdem o verde, ficam pretas como Tia Nastácia.

Ah, que festa é aqui no sítio quando as jabuticabas pretejam! Narizinho, Pedrinho e Rabicó mudam-se para debaixo da jabuticabeira. Mas essas frutas duram pouco. Duas semanas no máximo. Quando acabam, é preciso que a gente espere mais um ano para virem outras.

Cada árvore dá a sua fruta; mas sombra, todas dão da mesma qualidade. Que coisa gostosa uma sombra! Nos dias quentes é na sombra da jabuticabeira que nos reunimos para ouvir as histórias e lições de Dona Benta.

Tenho de dizer umas palavras sobre esta senhora. Dona Benta é uma criatura boa até ali. Só isso de me aturar, quanto não vale? O que mais gosto nela é o seu modo de ensinar, de explicar qualquer coisa. Fica tudo claro como água. E como sabe coisas, a diaba! De tanto ler aqueles livros lá do quarto, ficou que até brincando bate o Visconde em ciência.

Tia Nastácia, essa é a ignorância em pessoa. Isto é... ignorante, propriamente, não. Ciência e mais coisas dos livros, isso ela ignora completamente. Mas nas coisas práticas da vida é uma verdadeira sábia. Para um tempero de lombo, um frango assado, um bolinho, para curar uma cortadura, para remendar meu pé quando a macela está fugindo, para lavar e passar roupa – para as mil coisas de todos os dias, é uma danada!

Eu vivo brigando com ela e tenho-lhe dito muitos desaforos – mas não é de coração. Lá por dentro gosto ainda mais dela do que dos seus afamados bolinhos. Só não compreendo por que Deus faz uma criatura tão boa e prestimosa nascer preta como carvão. É verdade que as jabuticabas, as amoras, os maracujás também são pretos. Isso me leva a crer que a tal cor preta é uma coisa que só desmerece as pessoas aqui neste mundo. Lá em cima não há essas diferenças de cor. Se houvesse, como havia de ser preta a jabuticaba, que para mim é a rainha das frutas?

Narizinho eu quero muito bem, porque é uma espécie de minha mãe. Brigamos bastante, é verdade, e ela implica deveras comigo quando "me excedo". Mas já vi que briga é prova de amor.

Quem não ama não briga. Gosto dela no fundo do coração, e não admito que haja outra menina que a valha. Nem Alice. Nem Capinha Vermelha. Para mim, a primeira menina do mundo é Narizinho.

E Pedrinho? Um excelente rapaz. Muito sério, de muita confiança, menino de palavra. Também temos brigado bastante, e havemos de brigar ainda; mas que ele é um menino que vale a pena isso é. E bem valente. Só que ficou um pouco prosa demais depois da surra que deu no Popeye, esquecido de que se não fosse eu, com a minha ideia da couve, quem levava a surra era ele, e das grandes. Mas eu perdoo essas coisinhas. Peter Pan também era gabola e vaidoso – e Wendy lhe perdoava o defeito.

Bom. Vou acabar com estas Memórias. Já contei tudo quanto sabia; já disse várias asneiras, já dei minhas opiniões filosóficas sobre o mundo e as minhas impressões sobre o pessoal aqui da casa. Resta agora despedir-me do respeitável público.

Respeitável público, até logo. Disse que escreveria minhas Memórias e escrevi. Se gostaram delas, muito bem. Se não gostaram, pílulas! Tenho dito.

Emília, Marquesa de Rabicó.
Sítio do Picapau Amarelo,
10 de agosto de 1936.